Tuscany

IMAGES FROM THE ALINARI ARCHIVES

ALINARI

Tuscany
IMAGES FROM THE ALINARI ARCHIVES

Exhibition Promoted by / Mostra promossa da

Regione Toscana

Toscana Promozione
Agenzia di Promozione Economica della Toscana

Comune di Firenze

Museo di Storia della Fotografia
Fratelli Alinari

In collaboration with / In collaborazione con
Istituto Italiano di Cultura di Chicago

Editorial Manager / Responsabile editoriale
Giovanna Naldi

Technical Manager /
Responsabile scientifico
Monica Maffioli

Graphic Design / Progetto grafico
Lorenzo Mennonna

Iconographic Research and Editing /
Ricerca iconografica e redazione
Maria Possenti
Laura Rossi

Translation / Traduzioni
Erika Pauli, Studio Comunicare

Separations / Fotolito
Quartet, Firenze

Print / Stampa
Stabilimento Poligrafico Fiorentino

© Copyright 2004
by Fratelli Alinari
Largo Alinari, 15
50123 - Florence

ISBN 88-7292-477-4

Table of contents
Sommario

The responsibility of conveying to other parts of the world an idea of distinctive futures of our land, of Tuscany, is truly a pleasurable one. We undertake it with great joy and also serenity, knowing that the unique characteristics of our region lend themselves to successful, caring representation.

In this case, "TUSCANY" is represented through a photographic exhibition drawn from the priceless archives of the Fratelli Alinari. These photographs, windows opening onto Tuscan landscapes, piazzas, machinery, and farm equipment, come to Chicago through the joint enterprise of the Italian Cultural Institute and a promotional initiative of the Tuscan Region.

These photographs show us who we are, reveal the reasons for the spell that Tuscany casts, and demonstrate the broad range of differences that coexist successfully in the region. Each theme is treated in its own context: water, cultivations, hamlets, palaces and piazzas, crafts and costumes. Together they document the daily life of a region that has long been loved and sought after, even by those from far away.

Susanna Cenni, Councilor for Tourism of the Region of Tuscany

---

È davvero una "bella" responsabilità quella di trasferire in diverse parti del mondo le qualità della nostra terra: la Toscana. E' una responsabilità che affrontiamo con piacere ed anche con serenità tali e tante sono le cure con cui le peculiarità della Toscana sono mostrate.

Il caso di questa "TUSCANY", di questa mostra fotografica che nasce nei preziosi archivi dei Fratelli Alinari, di queste finestre piene di sguardi sospesi su paesaggi, su piazze, su attrezzi, rende bene l'idea di quello che riteniamo essere il compito affrontato qui a Chicago, in occasione delle iniziative di promozione dell'offerta turistica della Regione Toscana.

Queste foto ci raccontano, raccontano il perché del fascino toscano, la grande varietà, la somma di differenze anche forti ma prossime una all'altra.

Ogni contesto un suo risultato: il regime delle acque, le coltivazioni, i borghi, i palazzi e le piazze, i mestieri, il costume. Appunti sulla vita quotidiana di una regione che da tempi remoti è amata e ambita persino da chi ne risulta lontano.

Susanna Cenni, Assessore al Turismo della Regione Toscana

Tuscany, and not only Tuscany, owes a great deal to the Fratelli Alinari. We have known and benefited from them for years. Throughout the years the sites and accomplishments of our region have continued to be featured in the work and in the archives of the Alinari.

They are reliable ambassadors of an economic, social and political system. The photographs describe a transformation that not erase the past but that cherishes it.

Today we observe how our products, our initiatives, and our ambitions make their journey into the world accompanied by a prestige that is born of unquestionable effectiveness and quality.

The Tuscan system is a composite, articulated and structured. It travels the markets, committed to lending support and credibility to the all over pattern. Our promotional activity achieves its aims by joining resources that together create an awareness of this unique entity called Tuscany

Mauro Ginanneschi, Director of Toscana Promozione

Ai Fratelli Alinari la Toscana, e non solo, deve molto. Lo sappiamo da anni, ne profittiamo da anni. Nel loro lavoro, e nei loro archivi, i luoghi e i mestieri della nostra Regione attraversano decenni senza perdere la capacità di riferire.

Ci troviamo di fronte ad autorevoli e documentati ambasciatori di un sistema economico, sociale, politico. Le fotografie descrivono, nel corso del tempo, una trasformazione che non cancella, che sa fare tesoro dei propri tempi trascorsi.

Noi oggi accompagnamo il viaggio dei nostri prodotti, delle nostre imprese, della nostra ambizione a rappresentare l'eccellenza, con una testimonianza di prestigio e di sicura efficacia.

Il sistema Toscano è composito, articolato e strutturato. Viaggia i mercati con l'impegno di ogni particolare a dar forza e credibilità al disegno d'insieme. La nostra attività promozionale intensa compie il suo dovere unendo risorse che concorrono alla percezione di un valore unitario: la Toscana, la nostra Regione.

Mauro Ginanneschi, Direttore di Toscana Promozione

Tuscany

The Land of the Art
La Terra dell'Arte

IMAGES FROM THE
ALINARI ARCHIVES

The Land of the Art
Antonio Paolucci

Right here before me, fresh off the press, is the guide to the museums of Tuscany published by Touring Club Italiano on the initiative of the Region of Tuscany. The latest census, updated to spring 2002, lists 453 museums (or the like, such as botanical gardens, archaeological areas, monuments open to the public) in the ten provinces.

Four hundred and fifty-three, ranging from the Uffizi with its million and a half visitors who crowd in and one might say "consume" it every year, to the collection of sacred art in Cascia di Reggello, where Masaccio's first known work, the San Giovenale triptych, is housed, surrounded by olive trees and cypresses and in the shade of a venerable bell tower built a thousand years ago.

Does this mean that museums are the distinctive feature of the Tuscan cultural landscape? Of course not, even if the Florentine "system" of public collections of art is the most important in Italy and one of the best in the world, even if the museums of the region are scattered everywhere in line with a territorial equilibrium which is also reflected in the way the ownership and management is distributed between state, city, church and private.

Perhaps what Tuscany can call its own is the beauty of nature, the quality of the environment, founded both on artifice and on diversity. "Artifice" because in no other part of Italy, or for that matter probably of Europe, has the territory been so lovingly and wisely tended by generations of tenant farmers, unskilled laborers, woodsmen, gardeners, vine-dressers, masons, nor so successfully comprehended and safeguarded by generations of vicars, podestà, mayors, superintendents.

"Diversity" because in the multiplicity of its landscapes Tuscany is a whole continent. There are the woods of the Maremma, holm-oaks, chestnuts, cork trees, the wastelands and the silence, and pious Virgil's beloved white oxen with their crescent-shaped horns. One seems to be going back in time to the "humble Italy" of Aeneas, of the virgin Camilla, of the she-wolf of Rome.

There are the hills around Florence, an artificial landscape constructed, "crafted" like a work of art, a perfect balance of hamlets and white villas, of vineyards and olive groves, of cultivated woods and spear-like cypresses, brooding woods of laurel and of holm-oak, churches holding sway over slopes patterned into perspective chessboards of fields and roads as in Paolo Uccello's paintings. Less than an hour from Florence by car are the "Crete" of Siena, the badlands, a lyrical barren wasteland of ocher, browns and grays, shining golden yellow in summer, streaked with soft green in winter and in spring. One seems to be "sailing" the sea of hills. The only landmarks are a row of black cypresses on guard at the top of a rise, a flock of sheep in their pen, an isolated farmhouse in the fold of the valley. These are Giovanni di Paolo's and Sassetta's "Thebaid" landscapes.

There are forests between Falterona and the Casentino where wolves still roam. This ancient Italic forest of oaks, beech and fir, is populated by miracles and legends, imbued with memories of brigands and hermits. This is where one finds convents and monasteries of venerable name: Camaldoli, Vallombrosa, La Verna. And a hundred kilometers away, glowing in the summer sun, fragrant with resin and the smell of the sea, are the coastal woods – San Rossore, Migliarino, Tombolo – beloved by D'Annunzio. There are mountains like the Apuan Alps with drifts of white marble against the blue Tyrrhenian Sea, pieces of the northern Alps that wandered

here to mirror themselves in the ocean. The volcanic cone of Mount Amiata overlooks the gentle Val d'Orcia, the "mons aspectu gratissimus" Pius II Piccolomini so loved.

Paolo Uccello. The Thebaid
Florence, Accademia Gallery
(S. Dominique –
Alinari Archives, Florence)
• Paolo Uccello. La Tebaide
Firenze. Galleria dell'Accademia
(S. Dominique –
Archivi Alinari, Firenze)

Yet even this landscape of vineyards, woods and hills silhouetted against the sky and preserved better here than elsewhere in Italy cannot, by itself, be considered the prevailing distinctive feature of Tuscany. I believe that the element that makes this Region unique in Europe is the finely balanced coexistence, one might say the mutual integration, of the forms of art (museums and cities, life styles and cultural organizations) and the environment of which these forms are the expression. In no other part of Italy (except for Umbria and to a lesser degree in the Marches) is this so evident. Truly in Tuscany everything is contained in, everything is reflected in everything: art and landscape, territory and architecture, public buildings and rural constructions, uninhabited areas and countryside tended to as if it were a garden, the people in the square in the shade of the municipal tower and those that Ghirlandaio frescoed in the church on the square.

There is a recognizable comforting continuity between what surrounds us and History, which only Tuscany can so convincingly offer.

A few examples will suffice. Driving along the toll highway (Autostrada del Sole) towards Rome there's a spot not far from Florence that immediately evokes Masaccio and, in particular, the "Tribute Money" in the Brancacci Chapel in the Carmine. On your left the massif of Pratomagno looms up over the Arno Valley, a vast, imposing mountain, with rounded silhouette, partially bare and partially covered with woods, that seems to lord it over Tuscany like a guardian deity. The

Masaccio. The Tribute, detail, Florence, Church of S. Maria del Carmine, Brancacci Chapel *(Alinari Archives – Bridgeman/Giraudon, Florence)* • Masaccio. Il Tributo, part. Firenze. Chiesa di S. Maria del Carmine, Cappella Brancacci *(Archivi Alinari – Bridgeman/Giraudon, Firenze)*

Pratomagno is the protagonist in the "Tribute Money" fresco. In the foreground is Christ surrounded by an elliptical circle of Apostles – a "Colosseum of men" as it has been defined, on the right is a building of clear Brunelleschian forms, in the background the lake, actually a loop of the Arno River, rippled by slight waves and behind, separated by a screen wall of trees, the great mountain. Masaccio knew the Pratomagno well, for it loomed over the town of San Giovanni where he was born, so close that one could almost "touch" it from the Piazza del Comune. The Pratomagno is so much "part of" Masaccio's fresco (in a spiritual sense and not simply as a geographical quotation) that desecrating that mountain would be the same as desecrating one of the most famous paintings in the world.

We all know Ambrogio Lorenzetti's frescoes in the Palazzo Pubblico in Siena. Around the middle of the 14th century the painter and his patrons wanted to describe the effects of Good Government: the city, rich and in peace, with all social classes concordantly industrious, and the countryside, well cultivated, tranquil and safe, with peasants at work everywhere as travelers and gentlemen on horseback traversed the land. Take a good look at this landscape painted 650 years ago, observe the rounded hills used as pastureland or for growing wheat, the harmonious geometric arrangements of the fields in the farms closest to the city, the regular pattern of the vineyards, the sparse farmhouses and isolated farms. It is a

far-flung, arid, luminous and lyrical landscape. The dominant colors are the yellow of wheat, the gray and brown of the plowed earth, the sage green and ocher of the pastures, the black green of the holm-oaks and the oaks. Anyone willing to climb to the top of the Torre del Mangia in the same Palazzo Pubblico after observing Lorenzetti's frescoes, and to look around in a 360° circle over all the land of Siena, will be well compensated for the fatiguing climb by a cheering fact.

Ambrogio Lorenzetti. Effects of Good Government in the Country, detail. Siena. Town Hall
(Alinari Archives – Alinari archive, Florence)
● Ambrogio Lorenzetti. Effetti del Buon Governo in campagna, part. Siena. Palazzo Pubblico
(Archivi Alinari – archivio Alinari, Firenze)

The landscape has changed little in almost seven centuries. The barren luminous wasteland of Ambrogio Lorenzetti still stretches out below. The Sienese of today drive through scenarios no different from those their ancestors rode through on horseback or traveled on foot.

Today the plain of Florence is covered with housing developments, factories, warehouses. The old cultivated countryside survives only here and there in debased form. But if you climb the hills close to Florence, you can see the "bel paese d'Arno" as Baldovinetti, Pollaiolo, Leonardo described it. Pollaiolo's landscape backgrounds in the "Martyrdom of Saint Sebastian" in the National Gallery in London and in the "Annunciation" in Berlin are extraordinary. They are bird's eye views, a swarming scintillating micrography yet so synthetic and firmly laid out that the history and the destiny of the land described, as well as its geographical features, can be grasped. The relationship between the plain with Florence at its center and the surrounding ring of hills is so "right", and the river running through the countryside dotted with trees, villas and towers is so exact, that – the thought occurs – art based on perspective and proportion could not have been created anywhere but in this part of Italy and with this landscape as a pattern.

There would be nothing all that exceptional about what I've said so far (there are many places in the world that have hardly changed throughout the centuries) if it were not for the fact that the Tuscans are perfectly aware and proud of living in the cities and of crossing through the lands of Ambrogio Lorenzetti and Paolo Uccello, of Masaccio and Pollaiolo.

The Tuscan cultural landscape is, first of all, a form of awareness, deep-rooted, diffused and shared. The Tuscans know without being told that they are the owners and guardians of an extraordinary cultural heritage. They have known it for centuries, as something handed down historically from the past, diffusely and meticulously metabolized, one generation after the other, in the shade of every campanile. The fact that both the history of art in its modern concept (Giorgio Vasari and his "Lives") and the modern museum sciences (with the Uffizi, the first "modern" museum in Europe and the prototype of all museums in the west) first saw the light in Tuscany was certainly not without its aftermath. The first regional Soprintendenza (or Fine Arts Office) in Italy was created in Florence as Ufficio del Granducato: the Academy of Arts and Design, founded by Vasari in 1564. The proliferation of academies, libraries, art collections, monumental abodes lovingly and protectively cherished by their private owners is a logical outcome of the existence of these precursors and events. What it explains above all is the widespread deep-rooted sensitivity to preservation, more so in Tuscany than elsewhere, and the devotion of the people to what bears witness

Antonio and Piero del Pollaiolo.
Martyrdom of Saint Sebastian.
London, National Gallery
*(Alinari Archives –
Bridgeman/Giraudon, Florence)*
• Antonio e Piero del Pollaiolo.
Martirio di S. Sebastiano
Londra. National Gallery
*(Archivi Alinari –
Bridgeman/Giraudon, Firenze)*

to the past.

At a certain point the balanced association of the forms of art and the environmental context together with the weight of a great literary tradition, gave birth to a miracle: the international myth of Florence and Tuscany - a "room with a view" of the spectacle of life, art and nature, harmoniously integrated.

The American and Japanese tourists who nowadays patiently stand in infinitely long lines at the Uffizi and the Accademia in the implacable summer sun to see Botticelli's "Venus" and Michelangelo's "David"; the foreigners ready to pay staggering figures to buy or rent renovated farm houses in the barren Chianti countryside; the countless clients of "made in Tuscany" in fashion, leather, crafts, gastronomy, are the visible (and profitable) consequence of the success enjoyed throughout the world by that exquisitely artificial literary and intellectual idea of Florence and of Tuscany .

This idea first saw the light and took shape between the middle of the 19th and the early 20th century. It was the result of the gradual integration of foreign intellectuals in the Florentine and Tuscan milieu. As Harold Acton so aptly said, the protagonists were the foreigners who "from Signa to Vallombrosa put down roots in the vineyards and woods and became part of the landscape", famous artists (such as Fabre, or Ingres) or those lesser known such as the American Elihu Vedder for whom "his" Florence was a beautiful city animated by the figures who stepped down from the frescoes by Ghirlandaio, Giotto, Cimabue and by Boccaccio's lovely women who lived in the villas in the hills. They were great collectors such as Demidoff, Stibbert, connoisseur collectors such as Horne, Berenson, Charles Loeser, Mason Perkins, intellectual eccentrics such as John Temple Leader, the English diplomat, scholar and writer on Florentine history, who in 1860 "reinvented" the castle of Vincigliata employing the best known workshops of Florence in sophisticated reconstructions in neo-Gothic and Renaissance style.

The internationalization of the Florentine and Tuscan cultural landscape was reflected in tourism, in the success of handicrafts, with important repercussions in the sector of antiques and restoration.

In conclusion, the process of the international idealization of the region brought considerable advantages not to be measured in economic terms alone. The spiritual and aesthetic identity of Tuscany is today due in great and decisive part to the presence or at least the constant attention of foreigners. It cannot be denied, for example, that the administration of our museums, our activities in the fields of restoration and traditional crafts, the administration of the territory, the safeguarding of the historical centers, has achieved levels of quality and awareness which are admittedly to the credit of our administrators, our artisans and our technicians, but also to the presence and the continuous watchful involvement of the intellectuals of Europe and America.

The institutes of art history (famous in particular the Kunsthistorisches Institut of Florence and the Berenson Foundation of Harvard University in Settignano), the many United States college and university programs in and around Florence and Siena, the international artists who have chosen to live and work in Pietrasanta or San Quirico d'Orcia, in Lucchesia or in Valdelsa, best demonstrate the success enjoyed throughout the world by the "idea" of the Tuscan cultural landscape.

A. Bernoud
Florence. Panorama
from S. Miniato, ca. 1862
*(Fratelli Alinari Museum of the History
of Photography – Palazzoli Collection,
Florence)*
• Firenze. Panorama
da S. Miniato, 1862 ca.
*(Museo di Storia della Fotografia
Fratelli Alinari – collezione Palazzoli,
Firenze)*

J. B. Philpot
Florence. S. Miniato
al Monte, ca. 1870
*(Fratelli Alinari Museum of the
History of Photography –
Philpot fund, Florence)*
• Firenze.
S. Miniato al Monte, 1870 ca.
*(Museo di Storia della Fotografia
Fratelli Alinari – fondo Philpot,
Firenze)*

**Stabilimento Fotografico
dei Fratelli Alinari**
Florence. "Renaioli" (sand diggers)
on the Arno, ca. 1915
*(Alinari Archives - Alinari archive,
Florence)*
• Firenze. I renaioli
sull'Arno, 1915 ca.
*(Archivi Alinari –
archivio Alinari, Firenze)*

La Terra dell'Arte
Antonio Paolucci

Ho davanti a me la guida ai musei della Toscana pubblicata dal Touring Club per iniziativa della Regione. L'ultimo censimento, aggiornato alla primavera del 2002 dice che i musei (o luoghi assimilabili quali orti botanici, aree archeologiche, monumenti aperti al pubblico) sono 453 nelle dieci province.

Quattrocentocinquantatre, dagli Uffizi percorsi e quasi *"consumati"* ogni anno da un milione e mezzo di visitatori, alla raccolta di arte sacra di Cascia di Reggello dove, fra gli ulivi e i cipressi, all'ombra di un venerabile campanile antico di mille anni, si conserva il trittico di San Giovenale, opera prima di Masaccio.

Possiamo dire allora che il carattere distintivo del paesaggio culturale toscano sono i musei? Assolutamente no, anche se il *"sistema"* fiorentino delle pubbliche collezioni d'arte è il più importante d'Italia e fra i primissimi al mondo, anche se i musei della Regione sono distribuiti ovunque secondo un equilibrio territoriale che si riflette anche nella bilanciata varietà della proprietà e della gestione: statale, civica, ecclesiastica, privata.

Forse il proprio della Toscana è la bellezza della natura, è la qualità ambientale; fondate l'una e l'altra sull'artificio e sulla diversità. Sull'*"artificio"* perché in nessun altra parte d'Italia e probabilmente d'Europa il territorio è stato così amorosamente e sapientemente custodito da generazioni di mezzadri, terrazzieri, boscaioli, giardinieri, vignaioli, muratori, né così efficacemente conosciuto e tutelato da generazioni di vicari, di podestà, di sindaci, di soprintendenti.

Sulla *"diversità"* perché la Toscana è grande come un continente se pensiamo alla molteplicità dei suoi ambienti. Ci sono le selve della Maremma, boschi di lecci, di castagno, di sugheri, il deserto e il silenzio e i bianchi buoi dalle lunate corna che il pio Virgilio amava. È come regredire nella *"umile Italia"* di Enea, della vergine Camilla, della lupa di Roma.

Ci sono le colline intorno a Firenze, un paesaggio artificiale costruito e quasi cesellato come un'opera d'arte: perfetto equilibrio di borghi e di bianche ville, di vigne e di ulivi, di selve coltivate e di cipressi affilati come lance, di parchi neri di allori e di lecci, di chiese dominanti clivi scompartiti in scacchiere prospettiche di campi e di strade come nei dipinti di Paolo Uccello. A meno di un'ora di automobile da Firenze ci sono le Crete di Siena, un melodioso arido deserto di ocra, di bruno e di grigio, splendente di giallo oro d'estate, striato di tenero verde d'inverno e in primavera. Si ha l'impressione di navigare sulle colline come sul mare. Unici punti di riferimento una fila di neri cipressi a presidiare il profilo di un poggio, un gregge di pecore allo stazzo, una casa colonica isolata nella piega della valle. È il paesaggio delle *"Tebaidi"* del Sassetta e di Giovanni di Paolo.

Ci sono foreste tra il Falterona e il Casentino ancora abitate dai lupi. È l'antico bosco italico di querce, di faggi, di abeti, popolato di miracoli e di leggende, attraversato da memorie di briganti e di anacoreti. Qui sorgono conventi e monasteri dai nomi venerabili: Camaldoli, Vallombrosa, la Verna. E ci sono, a cento chilometri di distanza, splendenti nel sole d'estate, profumate di resina e di salsedine, le selve litoranee – San Rossore, Migliarino, Tombolo – amate da D'Annunzio. Ci

**Stabilimento Fotografico
dei Fratelli Alinari**

Florence. Lungarno Acciaioli
and Palazzo Vecchio from the
bell tower of the Church of S.
Spirito, ca. 1890
*(Alinari Archives -
Alinari archive, Florence)*
● Firenze. Lungarno Acciaioli
e Palazzo Vecchio visti dal
campanile di S. Spirito, 1890 ca.
*(Archivi Alinari –
archivio Alinari, Firenze)*

sono montagne come le Apuane biancheggianti di marmi sull'azzurro Tirreno, simili a pezzi
delle Alpi chiamati a specchiarsi nel mare. C'è il cono vulcanico dell'Amiata a dominare la
dolce Val d'Orcia, il *"mons aspectu gratissimus"* che Pio II Piccolomini amava.

Ma neppure il paesaggio (vigne, boschi e profili di colline) un paesaggio che qui
da noi si è conservato meglio che in qualsiasi altra parte d'Italia può essere considerato il
carattere distintivo dominante della Toscana. Io credo che l'elemento che fa della Regione
un *unicum* in Europa sia la bilanciata coesistenza e quasi la reciproca integrazione fra le
forme dell'arte (musei e città, stili di vita e organizzazioni della cultura) e il contesto che
quelle forme ha espresso. In nessuna altra parte del nostro Paese (se non in Umbria e in

misura minore nelle Marche) ciò è avvertibile con altrettanta evidenza. In Toscana davvero tutto si tiene e tutto si rispecchia in tutto: arte e paesaggio, territorio e architettura, palazzi pubblici ed edilizia rurale, aree deserte e campagne coltivate come giardini, la gente in piazza all'ombra della Torre civica e i personaggi affrescati dal Ghirlandaio nella chiesa che prospetta sulla piazza.

Ci sono rispecchiamenti identitari (riconoscibili consolanti continuità, intendo dire, fra la realtà presente e la Storia) che solo la Toscana può offrirci con così persuasiva evidenza.

Valgano pochi esempi. Percorrendo l'autostrada del Sole, non molti chilometri dopo Firenze andando verso Roma, c'è un punto che immediatamente evoca Masaccio e, in particolare, il *"Tributo"* nella Cappella Brancacci al Carmine. Alla vostra sinistra incombe sulla Valle dell'Arno il massiccio del Pratomagno. È una montagna vasta, imponente, dai profili tondeggianti, calva in parte e in parte coperta di boschi. Si ha l'impressione che domini la Toscana come una divinità tutelare. Nell'affresco del *"Tributo"* il Pratomagno è protagonista. In primo piano c'è il Cristo circondato dalla corona ellittica degli Apostoli – vero e proprio *"Colosseo di uomini"* come è stato definito – a destra un edificio di nitida architettura brunelleschiana, sullo sfondo il lago che altro non è se non un'ansa del fiume Arno increspato di onde leggere e dietro, schermato da una rada trama di alberi, la grande montagna. Masaccio conosceva bene il Pratomagno incombente sul suo paese natale di San Giovanni e così vicino che dalla piazza del Comune si ha l'impressione di poterlo toccare. Il Pratomagno è cosi *"dentro"* l'affresco di Masaccio (lo è in senso spirituale e non solo come mera citazione geografica) che violare quella montagna significherebbe violare una delle pitture più celebri del mondo.

Tutti conoscono gli affreschi di Ambrogio Lorenzetti nel Palazzo Pubblico di Siena. Il pittore e i suoi committenti, verso la metà del XIV secolo, vollero raccontare gli effetti del Buon Governo: la città ricca e in pace nella concordia operosa di tutti i ceti sociali e la campagna ben coltivata, tranquilla e sicura, fitta di contadini al lavoro, percorsa da viandanti e gentiluomini a cavallo. Occorre guardare bene questo paesaggio dipinto 650 anni fa, osservare le colline tondeggianti tenute a pascolo o coltivate a grano, le partiture geometriche dei campi nei poderi più vicini alla città, la trama regolare delle vigne, le rare case coloniche e le fattorie isolate. È un paesaggio vasto, arido, luminoso e melodioso. I colori dominanti sono il giallo del grano, il grigio e il bruno delle terre arate, il verde malva e l'ocra dei pascoli, il verde nero dei lecci e delle querce. Chi, dopo avere osservato gli affreschi del Lorenzetti, vorrà salire in cima alla Torre del Mangia nello stesso Palazzo Pubblico e di lassù allargare lo sguardo a 360 gradi su tutta intera la terra di Siena, avrà la fatica della salita compensata da una consolante constatazione.

Il paesaggio non è mutato in modo apprezzabile in quasi sette secoli. Ecco di fronte a voi l'arido luminoso deserto di Ambrogio Lorenzetti. I senesi di oggi percorrono con le loro automobili scenari non diversi da quelli che hanno percorso a piedi o a cavallo i loro antenati.

Oggi la pianura di Firenze è coperta di quartieri d'abitazione, di fabbriche, di capannoni. L'antica campagna coltivata sopravvive per pezzi degradati. Se però salite sulle colline prossime a Firenze, il *"bel paese d'Arno"* vi apparirà

come lo descrissero Baldovinetti, il Pollaiolo, Leonardo. Straordinarie sono le vedute dipinte dal Pollaiolo sullo sfondo del "*Martirio di San Sebastiano*" della National Gallery di Londra e dell' "*Annunciazione della Vergine*" dei Musei di Berlino. Sono vedute a volo d'uccello, di una micrografia brulicante e scintillante e tuttavia così sintetica e saldamente impostata che del paese descritto è possibile intendere, insieme con i caratteri geografici, la storia e il destino. È così "*giusto*" il rapporto fra la pianura al cui centro è Firenze e la corona di colline, così esatto l'attraversamento del fiume dentro la campagna punteggiata di alberi, di ville e di torri che – verrebbe fatto di pensare – l'arte fondata sulla prospettiva e sulla proporzione non poteva nascere se non in questa parte d'Italia a confronto con questo paesaggio.

Quanto detto finora non rappresenterebbe certo una eccezionalità (sono molti i luoghi del mondo rimasti pressoché immutati nei secoli) se non fosse che i toscani sono perfettamente consapevoli e orgogliosi di abitare le città e di attraversare i paesi di Ambrogio Lorenzetti e di Paolo Uccello di Masaccio e del Pollaiolo.

Il paesaggio culturale toscano è, prima di tutto, una forma di consapevolezza radicata, diffusa e condivisa. I

facing page / pagina precedente
Stabilimento Fotografico dei Fratelli Alinari
Florence. Stairs of the tower of Palazzo Vecchio with a view of the Cathedral, ca. 1900
(Alinari Archives - Alinari archive, Florence)
● Firenze. Scala della torre di Palazzo Vecchio e veduta della Cattedrale, 1900 ca.
(Archivi Alinari – archivio Alinari, Firenze)

Stabilimento Fotografico dei Fratelli Alinari
Florence. Via dei Pecori with Giotto's bell tower in the background, ca. 1900
(Alinari Archives - Alinari archive, Florence)
● Firenze. Via dei Pecori. Sullo sfondo il campanile, 1900 ca.
(Archivi Alinari – archivio Alinari, Firenze)

toscani sanno di essere proprietari e custodi di un patrimonio culturale straordinario. Lo sanno da secoli, lo sanno per un tramando storico antico che è stato diffusamente e minuziosamente metabolizzato, generazione dopo generazione, all'ombra di ogni campanile. Non è stato certo senza conseguenze il fatto che siano nate in Toscana sia la storia dell'arte modernamente intesa (con le "*Vite*" di Giorgio Vasari) che la moderna scienza museografica con gli Uffizi, primo museo "*moderno*" d'Europa e prototipo di tutti i musei d'Occidente. La prima Soprintendenza regionale d'Italia nasce a Firenze come Ufficio del Granducato. È l'Accademia delle Arti e del Disegno, fondata dal Vasari nel 1564. Date tali presenze e sul filo di queste storie, si spiega il proliferare di accademie, di biblioteche, di raccolte d'arte, di dimore monumentali custodite dai privati possessori con geloso amore. Soprattutto si spiegano la sensibilità tutelare, in Toscana più diffusa e radicata che altrove e l'attaccamento della gente alle testimonianze del passato.

A un certo momento la bilanciata integrazione fra le forme dell'arte, il contesto ambientale e il peso di una grande tradizione letteraria, ha fatto il miracolo. Ha preso forma il mito internazionale di Firenze e della Toscana: "*camera con vista*" sullo spettacolo di vita, arte e natura armoniosamente coniugate.

I turisti americani e giapponesi che, ai nostri giorni, sopportano pazientemente code infinite agli Uffizi e all'Accademia nella calura implacabile di torride estati per vedere la "*Venere*" di Botticelli e il "*David*" di Michelangelo; gli stranieri disposti a pagare cifre vertiginose per comprare o affittare coloniche riattate nelle aride campagne del Chianti; gli innumerevoli clienti del "*made in Tuscany*" nella moda, nella pelletteria, nell'artigianato, nella gastronomia, sono la visibile (e fruttuosa) conseguenza dell'affermarsi in tutto il mondo, di quella certa idea letteraria e intellettuale, squisitamente artificiale, di Firenze e della Toscana.

È un'idea che nasce e prende forma fra la metà dell'Ottocento e i primi anni del XX secolo. Il processo si è realizzato attraverso la graduale integrazione delle presenze intellettuali straniere nella realtà fiorentina e toscana. Protagonisti sono stati gli stranieri che "*da Signa a Vallombrosa mettevano radici fra vigne e boschi e diventavano parte del paesaggio*" secondo la bella immagine di Harold Acton. Si tratta di artisti famosi (come Fabre, come Ingres) o poco o pochissimo noti come l'americano Elihu Vedder che così descrive la "*sua*" Firenze frequentata negli anni fra il 1857 e il 1860: "*la mia Firenze era una bella città animata dalle figure scese allora dagli affreschi del Ghirlandaio, di Giotto, di Cimabue e dalle belle donne del Boccaccio abitanti nelle ville sulle colline*". Si tratta di grandi collezionisti come i Demidoff, come Stibbert, di collezionisti conoscitori come Horne, come Berenson, come Charles Loeser, come Mason Perkins; di eccentrici intellettuali come John Temple Leader, il diplomatico inglese, studioso e scrittore di storia fiorentina, che nel 1860 "*reinventava*" il castello di Vincigliata coinvolgendo in raffinate ricostruzioni in stile neogotico e rinascimentale le botteghe più celebri di Firenze.

L'internazionalizzazione del paesaggio culturale fiorentino e toscano si è riverberata nel turismo, nelle fortune dell'artigianato, ha avuto ricadute importanti nel settore dell'antiquariato e del restauro.

In conclusione si può affermare che il processo di idealizzazione internazionale della regione ha portato vantag-

gi considerevoli che non si misurano soltanto in termini economici. L'identità spirituale ed estetica della Toscana oggi è disegnata in grande e decisiva parte dalla presenza o almeno dalla costante attenzione degli stranieri. È innegabile, per esempio, che la gestione dei musei, la pratica del restauro e dall'artigianato tradizionale, il governo del territorio, la tutela dei centri storici, ha raggiunto i livelli di qualità e di consapevolezza che conosciamo certo per merito dei nostri amministratori, dei nostri artigiani e dei nostri tecnici, ma anche per la presenza e per il vigile continuo coinvolgimento degli intellettuali d'Europa e d'America.

Gli istituti di storia dell'arte (celebri fra tutti il Kunsthistorisches di Firenze e la Fondazione Berenson della Harvard University a Settignano) i colleges universitari statunitensi distribuiti in gran numero fra il capoluogo e Siena, gli artisti internazionali che hanno scelto di vivere e di lavorare a Pietrasanta o a San Quirico d'Orcia, in Lucchesia o in Valdelsa, sono la dimostrazione migliore del successo che ha incontrato nel mondo l'*"idea"* del paesaggio culturale Toscano.

Stabilimento Giacomo Brogi
Florence.
Piazza Signoria, ca. 1890
(Alinari Archives -
Brogi archive, Florence)
● Firenze.
Piazza Signoria, 1890 ca.
(Archivi Alinari –
archivio Brogi, Firenze)

Stabilimento Giacomo Brogi
Via della Ninna from the Loggia
dei Lanzi, ca. 1875
(Alinari Archives -
Brogi archive, Florence)
● Via della Ninna vista
dalla Loggia dei Lanzi, 1875 ca.
(Archivi Alinari -
archivio Brogi, Firenze)

Facing page / pagina seguente
Stabilimento Giacomo Brogi
Florence. Via Strozzi, ca. 1900
(Alinari Archives -
Brogi archive, Florence)
● Firenze. Via Strozzi, 1900 ca.
(Archivi Alinari -
archivio Brogi, Firenze)

**Stabilimento Fotografico
dei Fratelli Alinari**
Florence. Accademia Gallery.
Michelangelo's "Tribuna",
ca. 1885
*(Alinari Archives -
Alinari archive, Florence)*
• Firenze. Galleria
dell'Accademia di Belle Arti. La
tribuna di Michelangelo, 1885 ca.
*(Archivi Alinari –
archivio Alinari, Firenze)*

V. Balocchi
Florence. The Uffizi Galleries.
Tourists admiring Botticelli's
"Primavera", ca. 1955
*(Fratelli Alinari Museum of the History
of Photography – Balocchi archive,
Florence)*
● Firenze. Galleria degli Uffizi.
Turisti ammirano la Primavera
del Botticelli, 1955 ca.
*(Museo di Storia della Fotografia
Fratelli Alinari – archivio Balocchi,
Firenze)*

**Stabilimento Fotografico
dei Fratelli Alinari**

Fiesole. The Roman theater
and the bell tower of
the Cathedral, 1916
*(Alinari Archives -
Alinari archive, Florence)*
● Fiesole. Teatro romano e
campanile della Cattedrale, 1916
*(Archivi Alinari -
archivio Alinari, Firenze)*

V. Alinari
The old Pignone Bridge and the
iron bridge at the Cascine, 1908
*(Fratelli Alinari Museum of the History
of Photography – Alinari fund,
Florence)*
● L'antico ponte del Pignone e il
ponte di ferro alle Cascine, 1908
*(Museo di Storia della Fotografia
Fratelli Alinari – fondo Alinari,
Firenze)*

facing page / pagina precedente
V. Alinari
The weir at the mill
of S. Michele, 1908
(Fratelli Alinari Museum of the History
of Photography – Alinari fund,
Florence)
• La pescaia al mulino
di S. Michele, 1908
(Museo di Storia della Fotografia
Fratelli Alinari – fondo Alinari,
Firenze)

V. Alinari
The mill of S. Michele, 1908
(Fratelli Alinari Museum of the History
of Photography – Alinari fund,
Florence)
• Mulino di S. Michele, 1908
(Museo di Storia della Fotografia
Fratelli Alinari – fondo Alinari,
Firenze)

V. Alinari
The Certosa of Florence and the
Gora Bridge where the Ema
runs into the Greve River, 1908
(Fratelli Alinari Museum of the History
of Photography – Alinari fund,
Florence)
• La Certosa di Firenze e
il Ponte alla Gora alla confluenza
dell'Ema sul Greve, 1908
(Museo di Storia della Fotografia
Fratelli Alinari – fondo Alinari,
Firenze)

Stabilimento Giacomo Brogi
Prato. Poggio a Caiano.
Medici Villa, ca. 1890
(Alinari Archives -
Brogi archive, Florence)
● Prato. Poggio a Caiano.
La Villa Medicea, 1890 ca.
(Archivi Alinari -
archivio Brogi, Firenze)

**Stabilimento Fotografico
dei Fratelli Alinari**
Prato. The Castle, ca. 1890
*(Alinari Archives -
Alinari archive, Florence)*
• Prato. Il Castello, 1890 ca.
*(Archivi Alinari -
archivio Alinari, Firenze)*

V. Alinari
Empoli, 1917-1920, from
V. Alinari, *Paesaggi Italici
nella Divina Commedia*, Inferno,
Canto X, Florence, 1921
*(Library of the Fratelli Alinari
Museum of the History of
Photography, Florence)*
• Empoli, 1917-1920,
da V. Alinari, *Paesaggi Italici
nella Divina Commedia*,
Inferno, Canto X, Firenze 1921
*(Biblioteca del Museo di Storia della
Fotografia Fratelli Alinari, Firenze)*

**Stabilimento Fotografico
dei Fratelli Alinari**
Piteccio.
Railway viaduct. ca. 1920
*(Alinari Archives -
Alinari archive, Florence)*
● Piteccio. Il viadotto
della ferrovia, 1920 ca.
*(Archivi Alinari -
archivio Alinari, Firenze)*

Stabilimento Giacomo Brogi
Pistoia.
Ospedale del Ceppo, ca. 1890
*(Alinari Archives -
Brogi archive, Florence)*
● Pistoia. Ospedale
del Ceppo, 1890 ca.
*(Archivi Alinari -
archivio Brogi, Firenze)*

**Stabilimento Fotografico
dei Fratelli Alinari**

Lucca. The Cathedral, ca. 1875
(Alinari Archives -
Alinari archive, Florence)
• Lucca. La Cattedrale, 1875 ca.
(Archivi Alinari -
archivio Alinari, Firenze)

**Stabilimento Fotografico
dei Fratelli Alinari**
Borgo a Mozzano (Lucca).
The Devil's Bridge, 1905
*(Alinari Archives -
Alinari archive, Florence)*
● Borgo a Mozzano (Lucca).
Ponte del Diavolo, 1905
*(Archivi Alinari -
archivio Alinari, Firenze)*

Stabilimento Giacomo Brogi
Bagni di Lucca. Hydrotherapeutic
Establishment, ca. 1890
*(Alinari Archives -
Brogi archive, Florence)*
• Bagni di Lucca. Stabilimento
Idroterapico, 1890 ca.
*(Archivi Alinari -
archivio Brogi, Firenze)*

Stabilimento Giacomo Brogi
Lake of Massaciuccoli. View
from Torre del Lago, ca. 1910
*(Alinari Archives -
Brogi archive, Florence)*
• Lago di Massaciuccoli.
Veduta presa
da Torre del Lago , 1910 ca.
*(Archivi Alinari -
archivio Brogi, Firenze)*

Stabilimento Giacomo Brogi
Viareggio. View of the canal,
known as "Fosso", ca. 1900
*(Alinari Archives -
Brogi archive, Florence)*
• Viareggio.
Veduta del Fosso, 1900 ca.
*(Archivi Alinari -
archivio Brogi, Firenze)*

Stabilimento Giacomo Brogi
Viareggio. "Bagno Felice"
bathing establishment, ca. 1900
(Alinari Archives -
Brogi archive, Florence)
• Viareggio. Lo stabilimento
Bagno Felice, 1900 ca.
(Archivi Alinari -
archivio Brogi, Firenze)

Stabilimento Giacomo Brogi
Pietrasanta. Piazza Umberto I
with the monument
to Leopold II, ca. 1920
(Alinari Archives -
Brogi archive, Florence)
• Pietrasanta. Piazza Umberto I
con il monumento
a Leopoldo II, 1920 ca.
(Archivi Alinari -
archivio Brogi, Firenze)

**Stabilimento Fotografico
dei Fratelli Alinari**
Forte dei Marmi.
Landing jetty, ca. 1930
(Alinari Archives -
Alinari archive, Florence)
• Forte dei Marmi.
Il pontile, 1930 ca.
(Archivi Alinari -
archivio Alinari, Firenze)

V. Alinari
Carrara and the Luni
Mountains, 1917-1920, from
V. Alinari, *Paesaggi Italici
nella Divina Commedia*, Inferno,
Canto XX, Florence 1921
*(Library of the Fratelli Alinari Museum
of the History of Photography,
Florence)*
● Carrara e i monti di Luni,
1917-1920, da V. Alinari,
*Paesaggi Italici nella Divina
Commedia*, Inferno,
Canto XX, Firenze 1921
*(Biblioteca del Museo di Storia della
Fotografia Fratelli Alinari, Firenze)*

**Stabilimento Fotografico
dei Fratelli Alinari**
Marina di Carrara.
Drop-net fishing, ca. 1920
*(Alinari Archives -
Alinari archive, Florence)*
• Marina di Carrara.
Pesca alla bilancia, 1920 ca.
*(Archivi Alinari -
archivio Alinari, Firenze)*

**Stabilimento Fotografico
dei Fratelli Alinari**
Marina di Carrara.
The beach, ca. 1920
*(Alinari Archives -
Alinari archive, Florence)*
• Marina di Carrara.
La spiaggia, 1920 ca.
*(Archivi Alinari -
archivio Alinari, Firenze)*

**Stabilimento Fotografico
dei Fratelli Alinari**
The castle of Fosdinovo,
ca. 1920
*(Alinari Archives -
Alinari archive, Florence)*
• Il castello
di Fosdinovo, 1920 ca.
*(Archivi Alinari -
archivio Alinari, Firenze)*

E. Van Lint
Pisa. View from "outside the
walls" of the monumental
complex of Piazza dei Miracoli,
ca. 1860
*(Fratelli Alinari Museum of the History
of Photography – Van Lint fund,
Palazzoli Collection, Florence)*
• Pisa. Veduta da "fuori le mura"
del complesso monumentale
di Piazza dei Miracoli, 1860 ca.
*(Museo di Storia della Fotografia
Fratelli Alinari – fondo Van Lint,
collezione Palazzoli, Firenze)*

Stabilimeno Giacomo Brogi
Pisa. Lungarno Mediceo and
Ponte alle Piagge, ca. 1890
(Alinari Archives -
Brogi archive, Florence)
• Pisa. Lungarno Mediceo
col Ponte alle Piagge, 1890 ca.
(Archivi Alinari –
archivio Brogi, Firenze)

Stabilimeno Giacomo Brogi
Pisa. The so-called "Palazzo
dell'Orologio", ca. 1890
*(Alinari Archives -
Brogi archive, Florence)*
● Pisa. Palazzo detto
dell'Orologio, 1890 ca.
*(Archivi Alinari -
archivio Brogi, Firenze)*

Stabilimeno Giacomo Brogi
Environs of Pisa. The Certosa
of Calci, ca. 1910
(Alinari Archives -
Brogi archive, Florence)
• Contorni di Pisa.
Certosa di Calci, 1910 ca.
(Archivi Alinari -
archivio Brogi, Firenze)

Stabilimento Fotografico
dei Fratelli Alinari
Pisa. Estate of S. Rossore,
ca. 1890
(Alinari Archives -
Alinari archive, Florence)
• Pisa. Tenuta
di S. Rossore, 1890 ca.
(Archivi Alinari –
archivio Alinari, Firenze)

facing page / pagina seguente
Stabilimento Fotografico
dei Fratelli Alinari
San Miniato. Frederick II's
fortress, ca. 1930
(Alinari Archives -
Alinari archive, Florence)
• San Miniato. La Rocca
di Federico II, 1930 ca.
(Archivi Alinari -
archivio Alinari, Firenze)

**Stabilimento Fotografico
dei Fratelli Alinari**
Volterra. Panorama with
view of the Keep, ca. 1920
*(Alinari Archives -
Alinari archive, Florence)*
• Volterra. Panorama
con veduta del Mastio, 1920 ca.
*(Archivi Alinari –
archivio Alinari, Firenze)*

Stabilimento Giacomo Brogi
Livorno. View of the old
Medici port, ca. 1890
(Alinari Archives -
Brogi archive, Florence)
• Livorno. Veduta del Vecchio
Porto Mediceo, 1890 ca.
(Archivi Alinari -
archivio Brogi, Firenze)

Stabilimento Fotografico
dei Fratelli Alinari
Livorno. The Fortezza Vecchia
from the Scalo Regio, ca. 1920
(Alinari Archives -
Alinari archive, Florence)
• Livorno. La Fortezza Vecchia
vista dallo Scalo Regio, 1920 ca.
(Archivi Alinari -
archivio Alinari, Firenze)

Stabilimento Giacomo Brogi
Livorno. Ponte Nuovo, ca. 1890
(Alinari Archives -
Brogi archive, Florence)
• Livorno. Ponte Nuovo, 1890 ca.
(Archivi Alinari -
archivio Brogi, Firenze)

U. Bettini
Livorno. Pancaldi Bathing
Establishment, ca.1890
(Fratelli Alinari Museum of the History
of Photography, Florence)
• Livorno.
Bagni Pancaldi, 1890 ca.
(Museo di Storia della Fotografia
Fratelli Alinari, Firenze)

G. Borra
Livorno. Carriages in front
of the Cathedral, ca. 1950
*(Fratelli Alinari Museum of the History
of Photography – Betti Borra archive,
Florence)*
● Livorno. Carrozze davanti
al Duomo, 1950 ca.
*(Museo di Storia della Fotografia
Fratelli Alinari - archivio Betti Borra,
Firenze)*

Stabilimento Giacomo Brogi
Livorno.
The Marzocco tower, ca. 1890
(Alinari Archives -
Brogi archive, Florence)
• Livorno.
Torre del Marzocco, 1890 ca.
(Archivi Alinari -
archivio Brogi, Firenze)

D. Anderson
Grosseto.
Post Office building, 1931
(Alinari Archives -
Anderson archive, Florence)
● Grosseto.
Palazzo delle Poste, 1931
(Archivi Alinari -
archivio Anderson, Firenze)

**Stabilimento Fotografico
dei Fratelli Alinari**
Grosseto (environs). Istia.
The "Portaccia" and remains
of the old city walls, ca. 1920
*(Alinari Archives -
Alinari archive, Florence)*
• Grosseto (dintorni). Istia.
La portaccia e avanzi
delle antiche mura, 1920 ca.
*(Archivi Alinari --
archivio Alinari, Firenze)*

Stabilimento Fotografico dei Fratelli Alinari
Porto Ercole (Monte Argentario). Panorama with the Fort, ca. 1900
(Alinari Archives -
Alinari archive, Florence)
• Porto Ercole (Monte Argentario). Panorama con la Fortezza, 1900 ca.
(Archivi Alinari –
archivio Alinari, Firenze)

**Stabilimento Fotografico
dei Fratelli Alinari**
Pitigliano (Grosseto). Panorama
with the viaduct, 1937
*(Alinari Archives -
Alinari archive, Florence)*
• Pitigliano (Grosseto).
Panorama col viadotto, 1937
*(Archivi Alinari -
archivio Alinari, Firenze)*

**Stabilimento Fotografico
dei Fratelli Alinari**
Capalbio (Grosseto).
The Buranaccio tower, ca. 1910
*(Alinari Archives -
Alinari archive, Florence)*
• Capalbio (Grosseto). La
Torre del Buranaccio, 1910 ca.
*(Archivi Alinari -
archivio Alinari, Firenze)*

D. Anderson
Siena. View from the bell tower
of the Cathedral, ca. 1920
(Alinari Archives -
Anderson archive, Florence)
● Siena. Veduta dal campanile
del Duomo, 1920 ca.
(Archivi Alinari -
archivio Anderson, Firenze)

facing page / pagina seguente
Stabilimento Fotografico
dei Fratelli Alinari
Siena. Arch of San Giuseppe,
ca. 1890
(Alinari Archives -
Alinari archive, Florence)
● Siena. Arco di
San Giuseppe, 1890 ca.
(Archivi Alinari -
archivio Alinari, Firenze)

**Stabilimento Fotografico
dei Fratelli Alinari**
Siena. Piazza Tolomei
and Via Cavour, ca. 1890
*(Alinari Archives -
Alinari archive, Florence)*
• Siena. Piazza Tolomei
con via Cavour, 1890 ca.
*(Archivi Alinari -
archivio Alinari, Firenze)*

V. Balocchi
Siena. "The day of the Palio",
ca. 1965
*(Fratelli Alinari Museum of the History
of Photography – Balocchi archive,
Florence)*
• Siena. "Il giorno
del Palio", 1965 ca.
*(Museo di Storia della Fotografia
Fratelli Alinari – archivio Balocchi,
Firenze)*

D. Anderson
Siena (environs). Ruins
of the Abbey of S. Galgano.
The apse, ca. 1920
*(Alinari Archives -
Anderson archive, Florence)*
• Siena (dintorni). Avanzi
dell'Abbazia di S. Galgano.
L'abside, 1920 ca.
*(Archivi Alinari -
archivio Anderson, Firenze)*

Stabilimento Giacomo Brogi
San Gimignano. View of the
eastern side of the city, ca. 1890
(Alinari Archives -
Brogi archive, Florence)
• San Gimignano. Veduta
del fianco orientale
del paese, 1890 ca.
(Archivi Alinari -
archivio Brogi, Firenze)

**Stabilimento Fotografico
dei Fratelli Alinari**
Montepulciano. Church of
S. Biagio. The rectory, ca. 1890
(Alinari Archives -
Alinari archive, Florence)
• Montepulciano.
Chiesa di San Biagio.
La canonica, 1890 ca.
(Archivi Alinari -
archivio Alinari, Firenze)

14266.

**Stabilimento Fotografico
dei Fratelli Alinari**
Arezzo. Church of S. Maria
delle Grazie. Facade with
portico, ca. 1880
*(Alinari Archives -
Alinari archive, Florence)*
• Arezzo. Chiesa di S. Maria
delle Grazie. La facciata
col portico, 1880 ca.
*(Archivi Alinari -
archivio Alinari, Firenze)*

V. Balocchi
Arezzo. "Giostra del Saracino",
reenactment of a medieval
tournament, ca. 1950
*(Fratelli Alinari Museum of the History
of Photography – Balocchi archive,
Florence)*
● Arezzo. Giostra
del Saracino, 1950 ca.
*(Museo di Storia della Fotografia
Fratelli Alinari – archivio Balocchi,
Firenze)*

**Stabilimento Fotografico
dei Fratelli Alinari**
Cortona. Panorama
of the city, ca. 1900
*(Alinari Archives -
Alinari archive, Florence)*
• Cortona. Panorama
della città, 1900 ca.
*(Archivi Alinari -
archivio Alinari, Firenze)*

V. Alinari
Romena, 1917-1920, from
V. Alinari, *Paesaggi Italici nella
Divina Commedia*, Inferno,
Canto XXX, Florence 1921
*(Library of the Fratelli Alinari
Museum of the History of
Photography, Florence)*
• Romena, 1917-1920, da
V. Alinari, *Paesaggi Italici
nella Divina Commedia*, Inferno,
Canto XXX, Firenze 1921
*(Biblioteca del Museo di Storia della
Fotografia Fratelli Alinari, Firenze)*

Florence. Statue of Hercules
and Cacus and the Uffizi
Loggia, 2002
(Alinari Archives – G. Tatge, Florence)
● Firenze. Statua
di Ercole e Caco e loggiato
degli Uffizi, 2002
(Archivi Alinari – G. Tatge, Firenze)

Giuliano Vangi.
"The Knot", Florence,
Forte Belvedere, 1995
(Alinari Archives – G. Tatge, Florence)
• Giuliano Vangi. "Il nodo",
Firenze, Forte Belvedere, 1995
(Archivi Alinari – G. Tatge, Firenze)

Prato.
Pulpit of the Cathedral, 2001
(Alinari Archives – G. Tatge, Florence)
• Prato. Pulpito del Duomo, 2001
(Archivi Alinari – G. Tatge, Firenze)

Collodi. Gardens
of Villa Garzoni, 1998
(Alinari Archives – G. Tatge, Florence)
• Collodi. Giardino
di Villa Garzoni, 1998
(Archivi Alinari – G. Tatge, Firenze)

Barberino Val d'Elsa. 1992
(Alinari Archives – G. Tatge, Florence)
• Barberino Val d'Elsa. 1992
(Archivi Alinari – G. Tatge, Firenze)

Abbey of Passignano
in Chianti, 1987
(Alinari Archives – G. Tatge, Florence)
• Badia di Passignano
in Chianti, 1987
(Archivi Alinari – G. Tatge, Firenze)

facing page / pagina seguente
View towards the lake
of Massaciuccoli, 2003
(Alinari Archives – G. Tatge, Florence)
• Veduta del lago
di Massaciuccoli, 2003
(Archivi Alinari – G. Tatge, Firenze)

Beach near Migliarino, 2003
(Alinari Archives – G. Tatge, Florence)
• Spiaggia nei pressi
di Migliarino, 2003
(Archivi Alinari – G. Tatge, Firenze)

Isola di Giannutri. Remains
of a Roman villa, 1996
(Alinari Archives – G. Tatge, Florence)
• Isola di Giannutri. Resti
archeologici di villa romana, 1996
(Archivi Alinari – G. Tatge, Firenze)

Siena (environs). Bird's-eye view
of the Abbey of S. Galgano, 1995
(Alinari Archives - G. Tatge, Florence)
• Siena (dintorni). Veduta aerea
dell'abbazia di S. Galgano, 1995
(Archivi Alinari – G. Tatge, Firenze)

Siena (environs). Bird's-eye
view of Monteriggioni, 1995
(Alinari Archives - G. Tatge, Florence)
• Siena (dintorni). Veduta
aerea di Monteriggioni, 1995
(Archivi Alinari – G. Tatge, Firenze)

The Agrarian Landscape
Il paesaggio agrario

IMAGES FROM THE
ALINARI ARCHIVES

Tuscany

The Agrarian Landscape
Zeffiro Ciuffoletti

The most complex and profound expression of a people and its civilization is the landscape shaped by the passage of time. Every society leaves its mark on the landscape. It is more than a reflection of the endeavours of the people to draw from nature what they need to live, materially constructing the landscape. Intangibles such as the passions of men past, what the landscape meant to them in terms of life and nature, beauty and the different, the ephemeral and the eternal (E. Turri) are concealed in the hidden intimate texture of the landscape. Human beings basically inscribe their attitude to life and the world in the landscape and this is where one must look for the meaning of their civilization as a whole. The Tuscan landscape is one of the most famous in the world. It is certainly the most important cultural asset that Tuscany, with all its wealth of art and culture, has. The educated Grand Tour travelers from abroad in search of the roots of European civilization played an important part in popularizing the paradigm of Tuscany as the "Italy of Italy" in the concept outsiders had of this country, where the harmony of Tuscan landscape is seen as the result of a fusion of art, nature and civilization.

The Tuscan landscape is gifted with a remarkable evocative power, comparable to a "work of art" constructed by a "sophisticated people, those same people who commissioned paintings and frescoes from their painters in the fifteenth century" (H. Desplonques).

In more recent decades, landscape has changed drastically in Tuscany as elsewhere, and

Stabilimento Fotografico dei Fratelli Alinari
Florence (environs).
S. Margherita a Montici.
Picking olives, ca. 1915
(Alinari Archives -
Alinari archive, Florence)
• Firenze (dintorni).
S. Margherita a Montici.
Raccolta delle olive, 1915 ca.
(Archivi Alinari –
archivio Alinari, Firenze)

has frequently been flagrantly defaced. The abandoning of the land and the end of the sharecropping system (mezzadria or métayage) revealed the extent to which this type of agriculture had shaped the landscape in its many centuries of life. The recovery of Tuscan agriculture, thanks to the extraordinary vitality of wine growing and producing, the recent development of organic farming, the growth of farm holiday tourism, and a more general awareness of the importance of the environment and landscape, provides a means of defending this heritage.

Tuscany has a complete range of morphological forms from the mountains of the Apennines to the inland valleys, from the plains to the Mediterranean coasts. They are the stage setting, the "base lines" (L. Febvre) for the installation of settlements, cities, farmlands and the most varied human activities. What comes to mind when thinking of the Tuscan landscape is the farmhouse on a hill, the farms, the dense network of old cities and towns with their walls, towers and bell-towers, the countryside with its vines and olive groves. This means that agriculture played a primary role in the formation of the Tuscan landscape, even if the fact that Tuscany is a land of cities, or as some say, an "urbanized countryside", depends on its late-Roman and Medieval heritage (G. Cherubini).

V. Balocchi
Landscape in Castagneto
Carducci, 1957
*(Fratelli Alinari Museum of the History
of Photography – Balocchi archive,
Florence)*
• Paesaggio a Castagneto
Carducci, 1957
*(Museo di Storia della Fotografia
Fratelli Alinari – archivio Balocchi,
Firenze)*

As early as the fourteenth century Boccaccio noted that the hills around Florence were so full of country homes and farmhouses that if they had been "gathered together" they would have made another Florence. Indeed, the "invisible hand" that built the Tuscan agrarian landscape in a centuries-long process is known as mezzadria or métoyage, basically a type of sharecropping. Mezzadria was what shaped the hill landscape, making it the most expressive, "the most

**Stabilimento Fotografico
dei Fratelli Alinari**

Chianti. Brolio estate. Millstones
for grinding olives, 1918
*(Alinari Archives -
Alinari archive, Florence)*
• Chianti. Fattoria di Brolio.
Macine per le olive, 1918
*(Archivi Alinari -
archivio Alinari, Firenze)*

breath-taking and beautiful", of the entire region. The introduction of the sharecropping system, first in the Florentine and Sienese contados (area in the countryside over which a commune ruled) and then in the rest of the Tuscan valleys, resulted in a progressive organization and expansion of the agrarian space in a frame of tightly knit relations with the system of towns and cities upon which the cultural and economic wealth of the region, already considered the most urbanized in Europe in medieval times, was based.

Mezzadria spread so rapidly in the central hill system of Tuscany, that in the words of a great medieval historian "for every family unit integrated into the life of the city on a permanent basis, there were one or more peasant units on the farm, which had to supply means of subsistence for the sharecropper and at least the basic commodities for the "city guest", who depended on the generosity of the land and the hard work of the laborers for the advantages of a "civil life" (E. Conti). The middle classes and the lords of the city invested in the mezzadria system, but it was the sharecropper with his daily labor who subdued the land, shaped it to receive the various crops that his family and that of the owner needed: cere-

als, vines, olives, but also cheese, wool, hemp, linen, chestnuts, etc.

From the beginning, numerous country houses, the leisure seats of the urban landowners, sprang up in the Tuscan countryside outside the cities next to the holdings where the peasants lived. In the 16th and 17th centuries, when urban manufacture and the Mediterranean economy declined, many were turned into "estates". Their organization was based on the sharecropping system and initially developed on the administrative level and then gradually expanded to include management and production. The landscape around the owners' country houses was enriched by leisure time components that reflected the taste of the dominant classes: Italian style gardens, statues, artificial groves, parks and hunting reserves, "ragnaie", "paretai", "uccellari". There were also productive structures such as vat rooms, wine cellars, storage rooms for jars, for cheese, etc.

Then there were the buildings that reflected the religious life of the peasants: chapels, oratories, roadside shrines shaded by cypresses. This artificial "ecosystem", organized in the constellations of the holdings around the estates, gave the

Stabilimento Fotografico dei Fratelli Alinari
Chianti. Brolio estate. A peasant at the presses, ca. 1918
*(Alinari Archives -
Alinari archive, Florence)*
● Chianti. Fattoria di Brolio.
Un contadino ai torchi, 1918 ca.
*(Archivi Alinari –
archivio Alinari, Firenze)*

Tuscan landscape that marvelous sense of equilibrium and harmony that still makes it a unique region.

In this process that lasted centuries the landscape of promiscuous hill agriculture moved south in the Sienese badlands and in the plains of Maremma up to the lower edges of the mountain crests. This agriculture, founded on the asso-

ciation of trees and shrubs with cereals, as well as fava beans, beans and lupines, was the realm of the vine and the olive tree. Almost always the one followed the other as the humanization of the environment spread. The olive represented the sturdiest outpost in space and time, becoming the symbol and sign of the human work of colonization and civilizing in the sign of Christianity. The Tuscan food and wine traditions were based on wine and oil, as in the sacred

**Stabilimento Fotografico
dei Fratelli Alinari**
Chianti. Brolio estate.
Interior of the
wine-fermentation room, 1918
*(Alinari Archives - Alinari archive,
Florence)*
• Chianti. Fattoria di Brolio.
Interno della tinaia, 1918
*(Archivi Alinari –
archivio Alinari, Firenze)*

and the profane, the alpha and omega of a culinary culture which found expression in the sublime experiments of the Medici court, and in the diverse and varied culinary traditions of the peasant world, with its mainstay of bread, oil, beans and simplicity.

While the olive kept to the hill regions and the marine coasts, the grape moved upwards, following the monks and the churches into the mountains, and into the plains with the vineyards with their "interwoven", "pergola" or "linked" rows of vines. Nor did the city walls stop their progress. They leaped over them into the gardens of monastery and palazzo, creating continuity between city and country.

The vine and the olive tree run uninterruptedly through Tuscan history, both from the point of view of culture and of production. In the eighteenth century these two elements predominated in the organization of agriculture in Montalbano, in the Chianti, the Val di Sieve, in Valdarno di Sopra and di Sotto, in the Val di Pesa and in the Val d'Elsa. No little part was played by the widespread recognition of the specific territorial vocation, personally confirmed in the famous

V. Balocchi
Volterra (environs).
Farmlands, ca. 1950
*(Fratelli Alinari Museum of the History
of Photography – Balocchi archive,
Florence)*
• Volterra (dintorni).
Paesaggio agricolo, 1950 ca.
*(Museo di Storia della Fotografia
Fratelli Alinari – archivio Balocchi,
Firenze)*

"proclamation" of Cosimo III dei Medici in 1716, which established the areas where the quality of the vineyards was guaranteed by the grand ducal state.

The adaptability of the mezzadria system, albeit within the rigid social system that characterized it, permitted Tuscan agriculture to welcome industrial crops such as tobacco and sugar beets. Thanks to the estate system, the demands of the market, to which most of the owner's portion was directed, could be met. Around 1930, when its development peaked, the estate system covered 40% of the Tuscan agrarian surface with 4,121 estates and 49,000 farms, but the difficulties of an operational system which obstructed modernization were becoming increasingly evident and despite the Fascist contractual restoration, it was more and more anachronistic with the social aspirations of the sharecroppers.

After World War II Tuscany changed from a prevalently agricultural to an industrial region. Mezzadria ended its centuries-old cycle, but left its distinctive features impressed in the landscape of that "urbanized countryside" that consti-

V. Balocchi
Plowing in the Tuscan
countryside, ca. 1950
*(Fratelli Alinari Museum of the History
of Photography – Balocchi archive,
Florence)*
● Paesaggio toscano
e aratura, 1950 ca.
*(Museo di Storia della Fotografia
Fratelli Alinari – archivio Balocchi,
Firenze)*

tutes its most typical and indelible features.

The new Tuscan economy developed along the new internal communication routes, such as the Siena-Florence freeway and the Firenze-Mare tollway and lastly the expressway between Florence, Empoli, Pisa and Livorno. The traffic infrastructures of Tuscany, which characterized the development of the cities and towns, was originally based on the Etruscan-Roman roads that had survived the "dark centuries" of the Middle Ages. It matured at the end of the period of the Lorraine rule, with the routes that crossed the Apennines, indispensable to the national and international links of the region. After the construction of the Italian railway system, the great infrastructural innovations arrived with the expressways and in particular with the Autostrada del Sole, which crossed Tuscany from the Apennines to the Valdichiana, running through lovely landscapes.

Today, in view of the great economic expansion of Tuscany and a tourism which brings around forty million tourists to the region every year (around half from abroad), this communications network has shown its limitations and its need for integration and modernization. Feverish activity is going on in all sectors, from railroads to tollways, from expressways to urban roads. Construction sites are at work on high-speed communication routes, on the Due Mari expressway, on

the controversial "Tyrrhenian corridor". There is a general awareness that this need to update the infrastructures must be compatible from an environmental point of view with the long-standing rural matrix of the Tuscan landscape, an extraordinary heritage, a peerless cultural and economic treasure.

     Tuscany has a wealth of parks, reserves, protected tracts of land that comprise over 2.000 hectares (5.000 acres) of green areas, or around 8.8% of the entire region. Important as tourist attractions, the real significance of these areas lies in the fact that they serve as a warranty for the safeguarding of "biodiversity" and the environmental heritage. This great variety of animals, plants and their habitats is of inestimable value. With reference to the flora alone, Tuscany has three thousand species, twice that of Great Britain.

     The oldest photographs show us the features of the landscape and of the Tuscan people in the world of the share-cropper. In the more recent photographs what comes to the fore is the dynamic projection of an agricultural system that has succeeded in maintaining the features of the sharecropping landscape, a system whose peak sectors of wine growing and producing, olives and olive oil, organic agriculture and farm holiday tourism have their eyes on the future.

V. Balocchi

Casaglia (Volterrra).
Farmhouse, ca. 1950
*(Fratelli Alinari Museum of the History
of Photography – Balocchi archive,
Florence)*
• Casaglia (Volterrra).
Casa colonica, 1950 ca.
*(Museo di Storia della Fotografia
Fratelli Alinari – archivio Balocchi,
Firenze)*

V. Balocchi
Working the fields in the
Tuscan countryside, ca. 1950
(Fratelli Alinari Museum of the History
of Photography – Balocchi archive,
Florence)
• Campagna toscana
e lavoro nei campi, 1950 ca.
(Museo di Storia della Fotografia
Fratelli Alinari – archivio Balocchi,
Firenze)

With its forty DOC wines, its six DOCG, and with just as many I.G.T. in addition to the famous "supertuscans", the great fleet of Tuscan wines has conquered world markets and in recent years is regularly ranked at the top in the classifications of the best wines
in the world. The king of Tuscan vines is Sangiovese, which covers 65 % of the 67,000
hectares (167,500 acres) of Tuscan vineyards, followed by Trebbiano (12.6%), Malvasia
(4.8%) and Canaiolo (3.6%). Many other new vines are coming to the fore as a result of the
tendency to make the most of autochthonous species. With regards to olive oil, Tuscany pro-
duces 200,000 quintals. Only some however can boast of the quality mark of Indicazione
Geografica Protetta or Protected Geographic Indication with reference to the specific characteristics of the oil. Forty-seven producers in Tuscany qualify and their products are world-
renowned. Oil and wine are the touchstones of the Mediterranean diet, the secret behind the

incredibly rich patrimony of Tuscan gastronomy, a great tradition with 366 typical products ranging from Tuscan "pecorino" cheese to aged lard, the "lardo di Colonnata", and with over two thousand farming concerns, a fourth of the entire national sector. The gastronomical element of Tuscan agricultural and food traditions is flanked by the important sector of vegetable farming, floriculture and nurseries, with areas such as Pistoia and Pescia, as well as the zone of the Amiata and the Maremma, where traditions have been consolidated by time. Tuscany has also become the cradle of organic farming. In 1999, there were 15,930 farming concerns involved, with 3,000 hectares (7,500 acres), equal to 31% of the available agricultural area.

Finally farm holiday tourism, a combination of agriculture, art, culture, wine and food and the beauty of the landscape, is an ace in the Tuscan economy. The 2,364 farming concerns cover a large part of the national offer in the sector. Since the clientele consists predominantly of foreigners, it hardly needs saying that the charm of the Tuscan countryside and the traditions in food and wine are important drawing cards, comparable to the extraordinary cultural basins of the Tuscan cities and the economy of the region as a whole.

Il Paesaggio Agrario
Zeffiro Ciuffoletti

Il paesaggio, dove sono impresse le tracce e i segni del tempo, è l'espressione più complessa e profonda della civiltà di un popolo. Ogni società lascia un'impronta di sé nel paesaggio. Non si tratta solo degli sforzi per piegare la natura alle esigenze vitali degli uomini e quindi della costruzione materiale del paesaggio. Nel paesaggio, nella sua trama più intima, sono iscritte tante cose impalpabili come le passioni degli uomini passati, il loro stesso modo di pensare il paesaggio, che è il modo di pensare la vita e la natura, il bello e il diverso, l'effimero e l'eterno (E. Turri). In sostanza gli uomini iscrivono nel paesaggio l'atteggiamento verso la vita e verso il mondo e quindi nel paesaggio si trova il senso di una intera civiltà.

Il paesaggio toscano è fra i più celebrati del mondo e non vi è alcun dubbio che il bene culturale più importante della Toscana, pur ricchissima di arte e di cultura, sia rappresentato dal paesaggio. Proprio i visitatori stranieri colti che nel passato hanno visitato la penisola, tappa obbligata del "grand tour", per cercare le radici della civiltà europea, hanno contribuito ad affermare nell'immaginario internazionale quel paradigma della Toscana come l'"Italia dell'Italia", scorgendo nell'equilibrio del suo paesaggio la fusione tra arte, natura e civiltà.

Un paesaggio, quindi, capace di evocare suggestioni profonde fino a farlo paragonare a "un'opera d'arte" costruita "da un popolo raffinato, quello stesso che ordinava nel Quattrocento ai suoi pittori dipinti e affreschi" (H. Desplonques).

Negli ultimi decenni, in Toscana come altrove, il paesaggio ha subito delle trasformazioni intense e, spesso, delle gravi deturpazioni. L'abbandono delle campagne e la fine del sistema mezzadrile hanno fatto comprendere quanto proprio l'agricoltura mezzadrile avesse contribuito a creare nella sua vicenda plurisecolare gli incomparabili tratti armoniosi, di forme e di colori, del paesaggio toscano. La ripresa dell'agricoltura toscana, grazie alla straordinaria vitalità della vitivinicoltura, il recente sviluppo dell'agricoltura biologica, l'estendersi del fenomeno dell'agriturismo, e infine una estesa presa di coscienza del grande valore rappresentato dall'ambiente e dal paesaggio possono offrire un sicuro presidio nella difesa di questo patrimonio.

La Toscana presenta una gamma completa di forme morfologiche dalle montagne appenniniche alle valli interne, dalle pianure alle coste marine. Esse costituiscono le forme del palcoscenico, le "linee d'appoggio" (L. Febvre), su cui si impiantano gli insediamenti, le città, le campagne e le più varie attività dell'uomo. Ma quando si pensa al paesaggio toscano si pensa alla casa colonica sul poggio, alle fattorie, alla fitta trama di antiche città e cittadine con mura, torri e campanili, alle campagne "vitate e pomate", alla vite e all'olivo. Questo significa che l'agricoltura ha svolto un ruolo primario nella formazione del paesaggio toscano, anche se la Toscana resta pur sempre dall'eredità tardo-romana al medioevo (G. Cherubini) una terra di città, oppure come si è detto una "campagna urbanizzata".

Già nel Trecento il Boccaccio poteva osservare che le colline intorno a Firenze erano così piene di ville e case coloniche che se si fossero "raunate insieme" avrebbero costituito un'altra Firenze. In realtà la "mano invisibile" che ha costruito attraverso un processo plurisecolare il paesaggio agrario toscano si chiama mezzadria. Fu la mezzadria a plasmare il paesag-

V. Balocchi
Peasant women gathering
the new-cut hay, ca. 1930
*(Fratelli Alinari Museum of the History
of Photography – Balocchi archive,
Florence)*
● Contadine raccolgono il fieno
appena tagliato, 1930 ca.
*(Museo di Storia della Fotografia
Fratelli Alinari – archivio Balocchi,
Firenze)*

gio collinare, diventato quello più espressivo, "più emozionante e più bello" dell'intero spazio

regionale. Con l'introduzione della mezzadria, prima nel contado fiorentino e in quello senese

e poi nel resto della toscana valliva, si verificò una progressiva sistemazione ed estensione del-

lo spazio agrario entro un quadro di relazioni assai strette con il sistema di città e cittadine che

costituivano la ricchezza culturale ed economica di una regione che già in epoca medievale po-

teva essere definita la più urbanizzata d'Europa.

La mezzadria si diffuse così rapidamente nel sistema collinare centrale della Toscana,

che un grande storico del Medioevo ha potuto affermare che "ad ogni nucleo familiare inserito

in maniera non precaria nella vita della città, corrispondevano uno o più nuclei contadini inseriti sul podere, dal quale dovevano uscire il minimo vitale per il mezzadro e almeno i generi di sussistenza per 'l'ospite cittadi-no', a cui la generosità della terra e la fatica dei lavoratori assicuravano i vantaggi della 'vita civile'" (E. Conti). Furono i bor-ghesi e i signori di città ad investire nella mezzadria, ma furono i mezzadri con il loro quotidiano lavoro a domare il terreno, a plasmarlo per accogliere le varie colture di cui aveva bisogno la famiglia mezzadrile e quella del padrone: i cereali, il vino, l'olio, ma anche i formaggi, la lana, la canapa, il lino, la castagna ecc.

Fin dalle origini, accanto ai poderi, dove vivevano i contadini, nelle campagne toscane contigue alle città si ergeva-no numerose dimore signorili, che venivano usate per "villeggiatura" e che, a partire dal '500 - '600, con la decadenza delle manifatture urbane e dell'economia mediterranea, assunsero fun-zioni di "fattoria". Prese forma, allora, il sistema di fattoria, cioè una organizzazione centralizza-ta del sistema mezzadrile, prima sul piano amministrativo poi via via su quello gestionale e produttivo. Accanto alle residenze padronali si costituirono le componenti paesistiche collega-te con le funzioni ludiche e il gusto delle classi dominanti: giardini all'italiana, statue, boschi ar-

Stabilimento Fotografico dei Fratelli Alinari
Calcinaia.
Threshing corn, ca. 1900
(Alinari Archives - Alinari archive, Florence)
● Calcinaia. Battitura del grano, 1895 ca.
(Archivi Alinari – archivio Alinari, Firenze)

tificiali, parchi e bandite di caccia, "ragnaie", "paretai", "uccellari"; ma anche strutture produttive: tinaie, cantine, orciaie, cacciaie ecc.

Sorsero anche le strutture collegate alla religiosità contadina: cappelle, oratori, tabernacoli lungo le strade e all'ombra dei cipressi. Proprio questi ecosistemi artificiali, organizzati nelle costellazioni dei poderi intorno alle fattorie, hanno conferito al paesaggio toscano quell'aspetto mirabile di equilibrio e di armonia che ne fa ancora oggi una regione unica e inconfondibile.

Si è trattato di un processo plurisecolare durante il quale il paesaggio dell'agricoltura promiscua collinare si è spinto fino a Sud nelle crete senesi e nelle pianure maremmane e fino ai margini inferiori dei crinali montuosi. Questa agricoltura fondata sulla consociazione delle piante arboree e arbustive con i cereali ed altri semi-panizzabili, per non parlare delle fave, dei fagioli e dei lupini, ha rappresentato il regno della vite e dell'olivo. L'olivo ha seguito quasi sempre in stretta compagnia con la vite l'espandersi di questa umanizzazione dell'ambiente, ne ha rappresentato il più solido avamposto nello spazio e nel tempo, diventando il simbolo e il segno dell'opera umana di colonizzazione e di incivilimento nel segno del cristianesimo. Come nel sacro e nel profano il vino e l'olio sono diventati la base del robusto zoccolo delle tradizioni enogastronomiche toscane, l'alfa e l'omega di una cultura dell'alimentazione che si è articolata nei sublimi esperimenti della corte medicea, così come nelle varie e multiformi tradizioni alimentari del mondo contadino, tutte all'insegna del pane, dell'olio, dei fagioli e della semplicità.

Se l'olivo non si è staccato dalle aree collinari e dalle costiere marine, la vite si è spinta in alto, seguendo i monaci e le chiese persino nelle aree montane, e con i suoi filari a forma "intrecciata", "a pergolo", "a catena", anche nelle pianure. Tutti e due, l'olio e la vite, non si sono fermati nemmeno davanti alle mura delle città. Le hanno scavalcate per spingersi nei giardini e negli orti dei monasteri e dei palazzi signorili, creando un continuum fra città e campagna.

La vite e l'olivo rappresentano l'elemento di maggiore continuità nella storia toscana, sia da un punto di vista culturale che produttivo. Nel Montalbano, nel Chianti, nella Val di Sieve, nel Valdarno di Sopra e di Sotto, nella Val di Pesa e nella Val d'Elsa la vite e l'olivo assunsero fin dal Settecento un ruolo predominante negli ordinamenti produttivi, grazie anche al diffuso riconoscimento della specifica vocazione territoriale sancita persino ufficialmente nel celebre "bando" di Cosimo III dei Medici del 1716, che perimetrava le prime aree vinicole il cui pregio era garantito dallo Stato granducale.

La notevole adattabilità della mezzadria, pur nel rigido sistema sociale che la caratterizzava, permise all'agricoltura toscana di accogliere le colture industriali dal tabacco alla barbabietola da zucchero, e grazie al sistema di fattoria, di rispondere alle esigenze del mercato, al quale era diretta gran parte della produzione di parte padronale. Al culmine della sua evoluzione, intorno al 1930, il sistema di fattoria si era esteso ad oltre il 40% della superficie agraria toscana per un complesso di 4.121 fattorie e di 49.000 poderi, ma ormai erano sempre più evidenti le difficoltà di un sistema di conduzione che ostacolava la modernizzazione e, nonostante la restaurazione contrattuale fascista, era sempre più anacronistico con le aspirazioni sociali dei mezzadri.

Dopo la guerra la Toscana da regione ancora prevalentemente agricola è diventata una regione industriale. La mezzadria ha finito il suo ciclo plurisecolare, ma ha lasciato i suoi tratti distintivi impressi nel paesaggio di quella "campagna urbanizzata" che ne costituisce i tratti più tipici e indelebili.

La nuova economia toscana si è distribuita lungo i nuovi assi viari interni, come la superstrada Siena-Firenze e l'autostrada Firenze-Mare e per ultima la superstrada tra Firenze, Empoli, Pisa e Livorno. Il sistema delle infrastrutture stradali toscane, che fin dall'antichità aveva caratterizzato lo sviluppo delle città e cittadine sulla base delle strade etrusco-romane sopravvissute ai "secoli bui" del medioevo, era giunto a maturazione alla fine dell'epoca lorenese, quando si erano aperte anche le vie di valico degli Appennini, indispensabili ai collegamenti nazionali e internazionali della regione. Dopo la costruzione del sistema ferroviario nazionale nell'Italia Unita, le grandi innovazioni infrastrutturali arrivarono con le autostrade ed in particolare con l'Autostrada del Sole, che attraversava la Toscana dall'Appennino alla Valdichiana, in mezzo a paesaggi bellissimi.

Oggi, in presenza di una grande espansione economica della Toscana e di un turismo che porta nella regione circa quaranta milioni di turisti ogni anno, di cui circa la metà stranieri, questa rete viaria ha mostrato i suoi limiti e le sue esigenze di integrazione e di ammodernamento. Per questo in ogni settore, dalle ferrovie alle autostrade, dalle superstrade alla viabilità urbana, fervono ovunque grandi lavori e molti cantieri sono aperti, come quelli per l'alta velocità o quelli per il completamento della Due Mari oppure del controverso "corridoio tirrenico". Tuttavia a nessuno sfugge che questa esigenza di adeguamento delle infrastrutture deve rendersi compatibile dal punto di vista dell'impatto ambientale con quello straordinario patrimonio rappresentato appunto dall'antica matrice rurale del paesaggio toscano, che di per sé costituisce una ricchezza culturale, identitaria ed economica impareggiabile.

Infine la Toscana è ricca di parchi, riserve, aree protette, che occupano più di 200 mila ettari di zone verdi per circa l'8,8 % dell'intera superficie regionale. Si tratta di un patrimonio notevole che alimenta flussi turistici, ma più ancora rappresenta una garanzia di salvaguardia per la "biodiversità" e per il patrimonio ambientale. Si tratta di una vera e propria ricchezza costituita dalla varietà degli animali, dei vegetali e dei loro habitat. Solo in riferimento alla flora la Toscana possiede ben 3.000 specie, il doppio della Gran Bretagna.

Le fotografie più antiche ci restituiscono il volto del paesaggio e degli uomini dell'universo mezzadrile toscano. Le foto più recenti, invece, ci permettono di cogliere la proiezione dinamica di un sistema agricolo che non ha stravolto i tratti del paesaggio mezzadrile, ma che ormai si proietta verso il futuro con i suoi settori di punta: la vitivinicoltura, l'olivicoltura, l'agricoltura biologica e l'agriturismo.

Con i suoi quaranta vini DOC, con i suoi sei DOCG, e altrettanti I.G.T. più gli ormai famosi "supertuscans", la grande armata dei vini toscani ha conquistato i mercati mondiali e negli ultimi anni si piazza regolarmente ai primi posti nelle classifiche dei migliori vini del mondo. Dei 2.900.000 ettolitri di vino prodotti nel 2000, il 45% nascono a denominazione di origine controllata. Il re dei vitigni toscani è il Sangiovese che occupa il 65% dei 67.000 ettari dei vigneti toscani, segue il Trebbiano (12,6%), la Malvasia (4,8%) e il Canaiolo (3,6 %); ma tanti altri vitigni nuovi stanno avanzando in omaggio alla tendenza a valorizzare le specie autoctone. Quanto all'olio la Toscana ne produce 200 mila quintali, ma solo una parte si può fregiare di un marchio di qualità di Indicazione Geografica Protetta proprio per le sue particolari caratteristiche, quelle stesse che fanno figurare ben 47 produttori toscani ai primi posti nel mondo. L'olio e il vino, come è noto, sono alla base della dieta mediterranea e il vero segreto del pur variegato patrimonio gastronomico toscano. Un patrimonio che oltre al vino e alla grande tradizione della cultura alimentare toscana presenta ben 366 prodotti tipici, dal "pecorino" toscano al lardo di Colonnata,

Stabilimento Fotografico dei Fratelli Alinari
Siena (environs). Wagon returning from the fair. Sienese costumes, ca. 1890
(Alinari Archives - Alinari archive, Florence)
● Siena (dintorni). Carro di ritorno dalla fiera. Costumi senesi, 1890 ca.
(Archivi Alinari – archivio Alinari, Firenze)

con oltre duemila aziende, che rappresentano un quarto dell'intero comparto nazionale. A questa gastronomia delle tradizioni agricole e alimentari toscane andrebbe aggiunto anche l'importante settore ortoflorovivaistico, che in alcune aree della regione, come il pistoiese e il pesciatino, ma anche nella zona dell'Amiata e della Maremma, vanta tradizioni consolidate nel tempo. Quanto all'agricoltura biologica la Toscana ne è diventata la culla, nel senso che nel 1999 ne erano coinvolte ben 15.930 aziende con 3.000 ettari, pari al 31% della superficie agraria utilizzabile.

Infine l'agriturismo, che lega in sé agricoltura, arte, cultura, enogastronomia e bellezza del paesaggio, rappresenta una carta vincente nell'economia toscana con ben 2.364 aziende, che coprono una grande parte dell'offerta nazionale nel settore. Se si pensa che sono proprio gli stranieri i clienti più numerosi, allora si può comprendere come il fascino delle campagne toscane, delle tradizioni enogastronomiche, rappresenti uno straordinario patrimonio complementare ai grandi bacini culturali delle città toscane e dell'intera economia della regione.

**Stabilimento Fotografico
dei Fratelli Alinari**

Chianti. Picking grapes in the
Brolio castle vineyards, 1918
*(Alinari Archives - Alinari archive,
Florence)*

● Chianti. Vendemmia nei campi
del castello di Brolio, 1933
*(Archivi Alinari –
archivio Alinari, Firenze)*

**Stabilimento Fotografico
dei Fratelli Alinari**
Chianti. Transporting the casks
to the castle of Brolio, 1933
*(Alinari Archives - Alinari archive,
Florence)*
● Chianti. Trasporto delle botti
al castello di Brolio, 1933
*(Archivi Alinari –
archivio Alinari, Firenze)*

**Stabilimento Fotografico
dei Fratelli Alinari**
Chianti. Wine cellar
in the castle of Brolio, 1933
*(Alinari Archives - Alinari archive,
Florence)*
• Chianti. Cantina del
castello di Brolio, 1933
*(Archivi Alinari –
archivio Alinari, Firenze)*

**Stabilimento Fotografico
dei Fratelli Alinari**
Chianti. Filling bottles
in the castle of Brolio, 1933
*(Alinari Archives - Alinari archive,
Florence)*
• Chianti. Infiascatura del vino
nel castello di Brolio, 1933
*(Archivi Alinari –
archivio Alinari, Firenze)*

**Stabilimento Fotografico
dei Fratelli Alinari**

Figline Valdarno.
Women covering demijohns
and flasks with rushes, 1928
*(Alinari Archives - Alinari archive,
Florence)*
• Figline Valdarno.
Manodopera femminile
impiegata nella rivestitura
di damigiane e fiaschi, 1928
*(Archivi Alinari –
archivio Alinari, Firenze)*

**Stabilimento Fotografico
dei Fratelli Alinari**

Unloading flasks of wine,
ca. 1910
*(Alinari Archives - Alinari archive,
Florence)*
• Scaricamento dei fiaschi
di vino, 1910 ca.
*(Archivi Alinari –
archivio Alinari, Firenze)*

Panorama of the castle
of Romena, 1988
(Alinari Archives – G. Tatge, Florence)
• Veduta panoramica
del castello di Romena, 1988
(Archivi Alinari – G. Tatge, Firenze)

Maremma. Cattle
at the watering place, 1989
(Alinari Archives – G. Tatge, Florence)
• Maremma. Bovini
all'abbeverata, 1989
(Archivi Alinari – G. Tatge, Firenze)

Chianti. A flock of sheep
near Aiola, 1987
(Alinari Archives – G. Tatge, Florence)
● Chianti. Un gregge
vicino ad Aiola, 1987
(Archivi Alinari – G. Tatge, Firenze)

facing page / pagina precedente
Bibbiena, (environs).
Farmhouse, 1988
(Alinari Archives – G. Tatge, Florence)
• Bibbiena (dintorni).
Una casa colonica, 1988
(Archivi Alinari – G. Tatge, Firenze)

San Casciano Val di Pesa.
Le Corti Corsini farm, 1987
(Alinari Archives – G. Tatge, Florence)
• San Casciano Val di Pesa.
Fattoria Le Corti Corsini, 1987
(Archivi Alinari – G. Tatge, Firenze)

Olive grove in the Chianti, 1987
(Alinari Archives – G. Tatge, Florence)
• Oliveto nel Chianti, 1987
(Archivi Alinari – G. Tatge, Firenze)

Chianti. Old storage room
for terracotta jars, 1987
(Alinari Archives – G. Tatge, Florence)
• Chianti. Antica orciaia, 1987
(Archivi Alinari – G. Tatge, Firenze)

Certaldo.
Country landscape, 1992
(Alinari Archives – G. Tatge, Florence)
• Certaldo. Paesaggio
campestre, 1992
(Archivi Alinari – G. Tatge, Firenze)

Certaldo.
Country landscape, 1992
(Alinari Archives– G. Tatge, Florence)
• Certaldo. Paesaggio
campestre, 1992
(Archivi Alinari – G. Tatge, Firenze)

Chianti. Environs
of Ormanni, 1987
(Alinari Archives – G. Tatge, Florence)
• Chianti. Dintorni
di Ormanni, 1987
(Archivi Alinari – G. Tatge, Firenze)

Certaldo. Vineyards
and cultivated fields, 1992
(Alinari Archives – G. Tatge, Florence)
• Certaldo. Vigneti e campi
coltivati, 1992
(Archivi Alinari – G. Tatge, Firenze)

Chianti. Vineyard in the Estate
of the castle of Brolio, 1987
(Alinari Archives – G. Tatge, Florence)
• Chianti. Un vigneto della tenuta
del castello di Brolio, 1987
(Archivi Alinari – G. Tatge, Firenze)

Gaiole in Chianti.
Vineyards, 1987
(Alinari Archives – G. Tatge, Florence)
• Gaiole in Chianti,
Vigneti, 1987
(Archivi Alinari – G. Tatge, Firenze)

Greve in Chianti. Kegs for aging
Vin Santo in the cellars
of the Montagliari farm, 1987
(Alinari Archives – G. Tatge, Florence)
• Greve in Chianti.
Caratelli per l'invecchiamento
del Vin Santo nella
cantina della fattoria
di Montagliari, 1987
(Archivi Alinari – G. Tatge, Firenze)

San Casciano Val di Pesa.
Bunches of grapes on mats
for drying, 1987.
(Alinari Archives – G. Tatge, Florence)
• San Casciano Val di Pesa.
Grappoli d'uva sistemati su
stuoie per l'essiccazione, 1987
(Archivi Alinari – G. Tatge, Firenze)

Industries and Crafts
Industrie e Mestieri

Tuscany

Industries and Crafts

Stefano Cordero di Montezemolo

A. Corsini
Apuan Alps (Carrara).
Quarrymen at work
and squaring off blocks
of marble, ca. 1900
*(Fratelli Alinari Museum of the History
of Photography – Corsini archive,
Florence)*
● Alpi Apuane (Carrara).
Cavatori al lavoro e riquadratura
dei blocchi di marmo, 1900 ca.
*(Museo di Storia della Fotografia
Fratelli Alinari – archivio Corsini,
Firenze)*

Tuscany has a long and prestigious history in the field of economic activities. Everyone knows that Tuscany was one of the most important centers of production in the late Middle Ages and the Renaissance. The system created here, which became the point of reference for the rest of Europe, was unique with the manufacturing capacities supported by innovative and intrepid financial operators. It was here that the fig-

ure of the "merchant-banker" achieved its ultimate expression, leading to the establishment of a new economic and social class that played an important part in the great political transformations of the fourteenth and fifteenth centuries.

The economic profile of this region with its high entrepreneurial vocation and a strong bent for international trade was furnished by the merchant-banker, a figure who emerged in the times of the free communes and initiated brokerage activities with other cities in Italy, and subsequently, abroad. The capital accumulated in these trading activities was then used to start up holding

"companies" with branches in the principal cities of Europe. In addition to their own capital, they collected capital from third parties as well, in the form of deposit and/or participation contracts.

Manufacturing activity, above all in the field of textiles, can be traced back to the stimulus provided by these companies. The vocation for the "transformation" not only of this region but of Italy itself has its roots in the economic logic created at this time. With a limited number of natural resources, the country attained a leading role in international trade, buying raw or semi finished materials abroad and selling the finished products abroad with an elevated economic value added. The Monte dei Paschi di Siena, founded in 1472 and the oldest bank in the world, is currently the symbol of the financial tradition in Tuscany. It is one of the leading banking and credit groups in Italy and Europe.

A. Corsini

Apuan Alps (Carrara).
Steam "mule" transporting
blocks of marble, ca. 1900
*(Fratelli Alinari Museum of the History
of Photography – Corsini archive,
Florence)*

• Alpi Apuane (Carrara).
"Ciabattona" a vapore
per il trasporto dei blocchi
di marmo, 1900 ca.
*(Museo di Storia della Fotografia
Fratelli Alinari – archivio Corsini,
Firenze)*

As time passed, Tuscany maintained this substantial economic position. Up to the 1950s Tuscany (in particular the Florentine area which at the time also included the territory of Prato) was the second most important industrial center in Italy after the famous "industrial triangle" (located between the cities of Milan, Genoa and Turin). The relative importance of this region in the national economy later dropped as new areas of production such as the Veneto, Emilia Romagna, the Marche, and Latium developed. Moreover, many industrial activities promoted by the State and the Public Administrations were situated in Southern Italy. Still today the province of Florence ranks seventh place among the Italian provinces in its contribution to the nation's productivity, fifth if one includes the territory of Prato.

In more recent decades Tuscany created a developmental model of its own, in which its geographical location also played a part. Tuscany is autonomous both as regards the system of economic and financial activities of Northern Italy and the one created by public support policies in the Central South. Partial confirmation of this is provided by the fact that compared with the national average there are relatively more services here than elsewhere. This would indicate that the logistic and cultural characteristics of Tuscany favor a system of services for firms that is rooted in the territory rather than turning to structures in the larger economic centers of Italy (Milan and Rome). This relative economic autonomy of Tuscany also requires its own system of infrastructures. A good example is the story of the Airport of Florence. Since the 1990s when it was decided to upgrade the airport, the results have been extraordinary: passenger traffic increased exponentially (in the year 2000 there were over 1.5 million passengers and around 30,800 aircraft arriving and leaving). This success led to quotations in the stock exchange in 2000 after privatization of the management. The growth in the port of Livorno followed the same pattern with 17% for loading and 26% for unloading in the 1995-2000 period.

Another significant aspect of the economic model in this region is the high degree of autonomy in the field of energy owing to the presence of geothermal plants in the zone of Larderello. The first began operating in 1915 and ever since, thanks to technological innovations that continuously improve the systems for drilling and transformation of energy, the number of plants and the geothermic activity have been in constant increase.

Tuscan economy is characterized by "light" industry (with a low level of capital and a greater incidence of the cost of labor) and by an elevated dependency on foreign demand. More specifically, the countries with which the Tuscan economy has the most trade relations are the United States, Germany, France and Great Britain. As a result, Tuscan economy developed most in periods when the lira was devaluated with respect to the other currencies, favoring exportation. Even so, after the entry of the lira into the European Monetary Union and the birth of the Euro, the rate of productive growth and the reduction of unemployment levels in the Tuscan economy have been greater than the national

A. Corsini
Carrara. Transporting blocks of marble from the quarries, ca. 1900
(Fratelli Alinari Museum of the History of Photography – Corsini archive, Florence)
• Carrara. Trasporto dei blocchi di marmo provenienti dalle cave, 1900 ca.
(Museo di Storia della Fotografia Fratelli Alinari – archivio Corsini, Firenze)

A. Corsini
Carrara. Transporting
an enormous block
of marble, ca. 1900
*(Fratelli Alinari Museum of the History
of Photography – Corsini archive,
Florence)*
● Carrara. Trasporto
di un grosso blocco
di marmo, 1900 ca.
*(Museo di Storia della Fotografia
Fratelli Alinari – archivio Corsini,
Firenze)*

average. This could be interpreted as a sign of greater stability on the part of the Tuscan firms and throws a more optimistic light on the prospects for development of this region in the new European context.

Despite the reorganization of industrial activities in Italy, Tuscany maintained a position of leadership in various sectors and has succeeded in developing new productions that have become increasingly important in the local economy. Currently Tuscany contributes about 7% to the national product. Even though its natural and cultural heritage is unique, the economy of Tuscany is centered on manufacturing activities, whose economic productivity is greater than the national average. Vice versa, the role of agriculture has fallen off sharply in the last decades. The differences in the sectors of trade, hotels and public services are insignificant.

Despite the fact that agriculture counts for less, some Tuscan agricultural products are nationally and internationally recognized as leaders in their class. The best know example is that of wine growing and producing (with its primary productive center in the Chianti area, between Florence and Siena). It has become one of the symbols of this region and one of the mainstays both in terms of turnover and of occupation. Moreover, in recent years, leading foreign groups have made substantial investments in the Tuscan wine sector, proof that in its quality and image Tuscan wine has achieved a primary role in the world.

Another example of quality in Tuscan agriculture is the production of olive oil. In addition to the widespread activity of numerous small farms, some of the most important commercial brands (Bertolli, Sagra, Carapelli) are present. Lastly mention must be made of horticulture and floriculture centered in the province of Pistoia (a fourth of the entire national production comes from this area).

The territorial and cultural features of this region have favored the tourist activities that represent another

**Stabilimento Fotografico
dei Fratelli Alinari**
Marina di Carrara. Marble
being loaded with the
hydraulic crane, ca. 1925
*(Alinari Archives -
Alinari archive, Florence)*
• Marina di Carrara.
Caricamento di marmi
con la gru idraulica, 1925 ca.
*(Archivi Alinari – archivio Alinari,
Firenze)*

pilaster of the local economy. Moreover, the resources generated by tourism are a consistent and stable base of the local wealth, which directly or indirectly nourishes other economic activities. In particular, the small firm, the artisan workshop and the "typical" agroindustrial production of the territory are among the major beneficiaries of the presence of tourists in this region. Tourism also plays an important role in promoting and publicizing all the Tuscan products that have an international market.

The fact that there are close to 40 million tourist presences in the accommodation facilities of Tuscany gives one an idea of the importance of this resource. Of these 55%

are Italian and 45% foreign, with the latter in constant growth. The 9 million foreigners present in the region in 1993 rose to over 17 million in 2000. Over 50% of these are German although in recent years there has been an increase in the number of Americans and British.

Tourism is less import for the cities but fundamental for areas dedicated to this activity. It accounts for 35% of the local income for the Tuscan islands, around 25% for Versilia and the Maremma and about 20% for the spa areas (Montecatini and Chianciano). Vice versa, for Florence and Siena the incidence is around 8% and less than 5% for cities such as Pisa, Lucca and Arezzo.

With regards to industry, the developmental model created in Tuscany provides for a balanced distribution of activities including crafts, small and medium firms and the large enterprises. Even so the entrepreneurial vocation of this region found its best outlet, over the years, in the smaller firms. Many of the larger concerns answer to industrial groups with holdings outside of the region. Nuovo Pignone is part of the General Electric group, Piaggio was in the past owned by the Agnelli family and is now controlled by an international investment fund, Galileo and Breda are part of the Finmeccanica group, Gucci is a highly rated firm with premises in Holland and administrative offices in London, La Magona is part of the Usinor group, the Fondiaria was recently acquired by the SAI insurance group. The best-known cases of large firms that are still controlled by local entrepreneurs are Europa Metalli – SMI, Menarini, Ferragamo and Prada.

Another characteristic of the Tuscan developmental model is the relationship between industrial activities and conservation of the territorial, cultural and social environment. One example of the capacity of this region to conjugate development with respect for the environment is the leather-tanning area centered in the town of Santa Croce sull'Arno. The cost to the environment resulting from the quality and intensity of production in this specific area is high. Notwithstanding, the operators in this area have invested (with the aid of European financing) capital for tens of million of Euros for the purification and disposal of the industrial waste.

As for industrial activities, over the years there has been a progressive specialization in the productive sectors and areas of Tuscany. In other words, there is a prevalence of a few specific industrial sectors in each territorial area of the region. The industrial activities of the region can best be defined by subjecting them to the following analytical scheme.

The first industrial division, whose overall economic importance and international notoriety (also sustained by well-known exposition activities such as Pitti) make it worthy of description, regards the "fashion sector", that is clothing, leather goods, footwear. The activities of some of the most important firms in the field of fashion, such as Gucci, Prada, Ferragamo, fall into this sector. Other medium-sized firms which have conquered important positions in the market such as Cantarelli, Inghirami, Cavalli, Allegri, Sasch and other lesser known companies also contribute to the substantial economic turnover of Tuscan fashions. Moreover, the products of many other important companies with headquarters in markets elsewhere in Italy or abroad are manufactured here thanks to the well-established distinctive expertise of the area.

In particular, Tuscany is an absolute leader in the field of leather. Hundreds of small and very small artisan firms

A. Corsini
Carrara. Firm
of "Marmifera Ligure":
working the marble, ca. 1900
(Fratelli Alinari Museum of the History
of Photography – Corsini archive,
Florence)
• Carrara. Stabilimento
"Marmifera Ligure":
lavorazione del marmo, 1900 ca.
(Museo di Storia della Fotografia
Fratelli Alinari – archivio Corsini,
Firenze)

in the territory that includes the towns of Scandicci, Lastra a Signa, Impruneta, and the area of Firenze Sud up to the Val di Sieve work above all for third parties in the field of luxury leather goods. It is calculated that in the sector of Tuscan leather there are 1,500 artisan firms employing over 6,000 workers, or 10,000 including those with workshops of their own who depend on the industrial firms. Exports amount to around 500-600 million Euros and correspond to about 50% of the total turnover. Next to the numerous firms that work only for third parties there are others that, next to the models commissioned by the great names, maintain their own production and others that also design products on commission.

With regards to the production of footwear, in the last twenty years Tuscany has lost its preeminence to other Italian regions, above all the Marche, Emilia Romagna and the Veneto. Even so, an important shoe industry with around 1,200 productive units, 8,000 workers (operators) and a turnover of around 700 million Euros (circa 60% for export) remains in the area covering the Tuscan provinces of Pistoia, Pisa and Florence. Most of the local production is for third parties, although there are a few important firms with their own trademarks such as Balducci and Madigan.

The quality of the leather and shoe firms is abetted by the close proximity of the tanning area localized in the towns straddling the provinces of Florence and Pisa with 98% of the national production of leather soles and 35% of the national production of leather for footgear, leather goods and clothing. The overall turnover is circa 1.8 million Euros (60% on the home market and 40% abroad). They are prevalently small firms, but the ten most important groups cover around 50% of the total production, with a vertically more integrated productive model to reduce costs and maintain control of the quality. The need to face up to substantial investments to reduce the environmental impact of their products has created a strong bond between the firms of the district and has favored various important initiatives in the field of technological innovation. An example is the project "Dresswear", which involves the University of Pisa, the Fiat Research Center and some of the Ferrari engineers. The idea is to develop a type of leather that can recognize the bodies with which it comes into contact. Its most immediate use would be as upholstery for automobile seats to increase comfort and safety. It can moreover be used in the sector of footgear

Stabilimento Fotografico dei Fratelli Alinari
Volterra. Alabaster workshop, ca. 1920
(Alinari Archives - Alinari archive, Florence)
● Volterra. Laboratorio per la lavorazione dell'alabastro, 1920 ca.
(Archivi Alinari – archivio Alinari, Firenze)

and clothing, with probable applications in the fields of sport and curative medicine.

The metal and mechanical area of which Piaggio is the principal entrepreneurial example lies in the town of Pontedera, on the Florence-Pisa line. Despite various recent production problems and the competition of dynamic new Italian and foreign firms, Piaggio remains the largest Italian motor vehicle firm. Its trademark "Vespa" is one of the symbols of post World War II reconstruction and, more recently, of a new model of civic mobility based on two wheels. A system of medium and small firms that produce the component parts revolves around Piaggio and has in some cases gradually taken on a greater commercial autonomy, furnishing other important trademarks in the sector. Despite its smaller size, another motor vehicle firm in Tuscany, Beta Motors, is famous in the sector for the quality of its products in a few specific market segments (trial, enduro and cross-country motorcycles).

The informatics sector has been developed in the Pontedera-Pisa area, with CDC (holder of the Computer Discount and Compy trademarks) as the economically most prominent company. CDC controls the largest Italian chain of shops (as owners and in franchising) for the sale of computers and accessory products and has a turnover of over 500 million Euros. Tuscany has also distinguished itself in new activities connected to Internet. Two of the most important Italian firms in this sector, both quoted on the stock market, CHL and Dada, have their headquarters in Florence.

Textiles is another important fashion-related sector although commercial outlets are not limited to clothing. The province of Prato is leader in this field with 9,000 textile firms and an annual turnover of over 4 billion Euros (export for

**Stabilimento Fotografico
dei Fratelli Alinari**
Florence. Restoring
a mosaic in the Opificio
delle Pietre Dure, ca. 1910
*(Alinari Archives - Alinari archive,
Florence)*
• Firenze. Restauro di un
mosaico presso l'Opificio
delle Pietre Dure, 1910 ca.
*(Archivi Alinari –
archivio Alinari, Firenze)*

about 70%). The industry employs around 50,000 workers (30% of the active population and 60% of those occupied in industry in the territory). The Prato firms are specialized in the production of yarn for knitwear, traditional and innovative textiles for the clothing industry, footwear, furnishings and technical uses, and cover all manufacturing processes, including the finishing of fabrics. Between the early 1960s and the middle of the 1980s, the area was in constant growth thanks to a high productive and organizational flexibility and the strong foreign demand. At the time, many observers and specialists pointed to the Prato area as a model to be imitated on a national scale: a productive system characterized by small flexible units, with few operations of a complete cycle, small divided departments, best if detached one from the other into a myriad of autonomous firms. In the middle of the 1980s the textile industry of Prato entered a phase of structural crisis, a result of the fall in demand of carded products (at the time the principal specialization of the local textile industry, while today it represents 45% of the district) and technological and market transformations that allowed the large textile firms to recover margins of competitiveness. Prato countered this crisis by broadening and diversifying the range of products (adding new types of textiles such as linen, cotton, mixed silk/linen, velvet, viscose, "cupro" or Bemberg yarn, acetate, polyester, not-woven textiles, etc.). This bore its fruits in the 1990s, when Prato once more could compete and expand on the international markets. A noteworthy phenomenon of the Prato system is the massive presence of immigrants: in particular the Chinese, with 4,000 regular workers and a community of around 15,000 persons. As a result some of the Italian firms went out of business and the social structure of the city changed, although, in general, immigration was well received.

Furniture is another sector with strong traditions in Tuscany. Various problems have arisen in recent years, due above all to the small size of the concerns, an element that had been a strong point in the past allowing for flexibility and creativity. Limited size penalizes the commercial aspect and makes it more difficult to recruit new workers. The hardest hit were the districts of Cascina and Ponsacco (province of Pisa). Less so that of Quarrata (province of Pistoia). The operators and local institutions of the former are attempting to create a major identity and productive specialization that can be defined as a distinctive style and image, relying on the "made in Tuscany", above all for the international market. The latter is wagering on innovation of design, on the model of the highly successful "sofa triangle" (between Puglia and Basilicata) with the Natuzzi group as best example.

The goldworking district is in the province of Arezzo. It has been calculated that there are more than 1,400 industrial and artisan firms, 1,700 trademarks, a turnover close to 3 billion Euros (export covers over 70%) and 10,000 employees. By far the largest firm in this district (and in the Italian goldsmith sector) is Uno A Erre, which also absorbs a good part of the production of the local artisans and small firms. This district too is in a phase of transformation in answer to increasing competition. As a matter of fact the prevailing market position of the Aretine goldsmith firms is in what is known as "catename" or "chain market", subject to an increasing competition at home (from Marcianise-Torre del Greco and the area of Rimini) and abroad (Asian producers). As a result, the more innovative firms of the district are concentrating on production with greater value-added possibilities including lower price segments such as costume jewelry and silverware.

Stabilimento Fotografico dei Fratelli Alinari
Florence. Frame maker's workshop, ca. 1910
(Alinari Archives - Alinari archive, Florence)
● Firenze. Laboratorio di cornici, 1910 ca.
(Archivi Alinari – archivio Alinari, Firenze)

Whatever the case, over the years the province of Arezzo has developed a significant diversification of production in fields other than the traditional goldwork and clothing. Various extremely dynamic innovative firms, with an eye on the international markets, have emerged in the engineering sector, with metal detectors for security purposes, industrial paints, furniture, the production of cables, diapers

and tissues, and industrial prefabs.

Another area in Tuscany that, over the years, has succeeded in diversifying its products is that of Empoli. After Florence and Prato, this area is the third industrial pole of Tuscany. The main sector is clothing. This area is uncontested leader in two categories, that of rainwear and, above all, leather garments where the production amounts to two thirds of the overall national output. On the other hand there are also consolidated traditions in this area in glass, ceramics and boats, joined in recent decades by significant production in the fields of chemistry, mechanics, the paper industry, rubber, plastic materials and foodstuffs. Colorobbia (ceramic colors) and Sammontana (packaged ice cream) are leader firms in their sectors. A colossus in commercial distribution such as the Coop first saw the light in Empoli with important economic repercussions on the territory, favoring the development of related activities. Here too, as at Prato, a substantial Chinese community has developed, which has taken on an important share of the traditional production, based on low labor costs and a greater work flexibility. Confirmation of the importance of the Chinese in the area is the fact that there is even a newspaper printed in Oriental ideograms, the "Zhong Yi Bao".

With regards to ceramics, the most widely known trademark had its beginnings in the municipality of Sesto Fiorentino and is centered around the story of the "Manifattura Ginori" founded in 1737. An important key to an understanding of the development of ceramics in this part of Tuscany was the institution in 1873 of the "School of industrial design", created by Ginori to train specialized workers and which has contributed to the formation of a widespread network of artisan firms. By the 1950s the activities of what had already become Richard-Ginori had generated a considerable number of firms, some of which had their own distinct productions. The crisis of the Richard-Ginori in recent years had a negative impact on the area, which is attempting a come-

back by developing its own market activities or joining other important international firms.

The province of Massa Carrara is characterized by the stone district specialized in the quarrying and working of marble from the Apuan Alps. Around 9,000 workers are employed in over 1,000 firms, with a turnover of around 1.2 billion Euros (50% circa abroad). Approximately 200 quarries are active, with a production of around 1.4 million tons of blocks per year. The best-known local material is the "Carrara white". The prevailing markets are the Far East, the European Union, the Near East and the United States. To these must be added the data regarding related sectors such as the production of machinery for quarrying, cutting, polishing, finishing, and the furnishing of specialized services, with about 2,000 employees in over 200 firms. In recent years the stone district has been faced with greater competition at home (in the area of Verona) and abroad (Spain, Brazil, Japan and in general all the countries of the far East), resulting in an increase in the working of marble, both directly and in collaboration. The importance of this activity has favored the creation and development in Carrara of the "International Fair for

Stabilimento Fotografico dei Fratelli Alinari
The portrait studio in the Fratelli Alinari photographic establishment, ca. 1900
(Alinari Archives - Alinari archive, Florence)
• La sala di posa all'interno dello stabilimento fotografico dei Fratelli Alinari, 1900 ca.
(Archivi Alinari – archivio Alinari, Firenze)

Marble, Machines and Services", the most important in the sector, with 60,000 visitors and over 800 exhibitors from all over the world. A tourist activity has also developed around the stone industry, annually bringing over 70,000 visitors to the quarries and relative museums.

Two significant categories have been making a name for themselves along the Florence-Siena route: crystal and motor caravans. The capital of the production of crystal ware is Colle Val d'Elsa, with over 95% of the national production (turnover of over 100 million Euros and 1,500 employees). Almost half of the local production is sold abroad, above all in the United States and in Europe. The leader firm in this district (two thirds of the entire turnover) is Calp (Cristalleria Artistica La Piana), quoted on the Milan Stock Market, which controls 60% of the Italian market and over 10% of the world market in table and gift crystal wares. Eighty percent of the Italian production of camper vans is located in the area between Val di Pesa and Val d'Elsa (San Gimignano, Poggibonsi and Barberino Valdelsa). The turnover of this sector in Tuscany amounts to over 200 million Euros (40% on foreign markets) with 700 employees. The principal firms are: Caravans International, Mobilvetta and Laika.

Another important production area in Tuscany regards the paper industry. Production is centered in Lucca, with 130 firms, around 9,500 employees and a turnover of 1.8 billion Euros, of which over 30% is from foreign markets. Around 80% of paper for domestic purposes and 30% of corrugated cardboard in Italy is produced in this zone. The leading firms of the district are: Kartogroup, specialized in the production of paper for sanitary and domestic uses; Cartiera Lucchese; Cartoinvest; AssiDoman. A considerable mechanical activity pertinent to the production of paper has also developed in this province. The best-known firm is Fabio Perini, which began developing numerous innovative patents in the 1960s and which has recently been taken over by the Korber Paperlink, a division of the German group Korber Aktiengesellschaft.

One of the most important shipbuilding areas in Italy is on the Tyrrhenian coast between Viareggio, Marina di Pisa and Livorno. The yacht center, involving a dense network of artisans and small firms specialized in the various production phases, lies between Viareggio and Marina di Pisa. Almost all the shipyards in the area have only a limited number of year-round personnel but a large number of temporary workers connected to the productive cycle. The principal firms in this district are: Azimut-Benetti, Perini-Picchiotti, Tecnomarine. The historical Cantieri Orlando, on the other hand, are in Livorno. Founded in 1866, they passed under the control of state holdings after World War II. A serious crisis in the middle of the 1990s resulted in the decision to sell the firm but there was no real interest. When the company was on the verge of closing down, the employees together with the unions, thanks to government contributions and the support of the European Commission, founded five cooperatives that as such took over and relaunched the activities that currently employ 100 persons directly and with 800 in linked activities.

Before concluding this description of the economic activities of Tuscany, mention must be made of the important pharmaceutical center in the region, with the Menarini group, the largest Italian establishment in the sector, that over the years has absorbed other Tuscan pharmaceutical firms. Also present in the region are the Gruppo Marcucci (the princi-

pal Italian producer of blood derivatives) and the Istituto Gentili (specialized in cardiovas-

cular treatments and recently acquired by the Merck, Sharp & Dohme group). The activities

of various important international pharmaceutical groups are also localized here, including

Eli Lilly, Boeringher Ingelheim, Immuno. Lastly, Aboca, a national leader of alternative

pharmaceutics, has come to the fore in the zone of Sansepolcro (province of Arezzo). An

entrepreneurial formula that progressively diversifies the range of products and their avail-

ability in distribution channels has turned to good account the natural heritage of the territory, that of officinal herbs.

**Stabilimento Fotografico
dei Fratelli Alinari**
Florence. A. Pini shop, 1908
*(Alinari Archives - Alinari archive,
Florence)*
● Firenze. Negozio A. Pini, 1908
*(Archivi Alinari –
archivio Alinari, Firenze)*

Industrie e Mestieri
Stefano Cordero di Montezemolo

La Toscana ha una lunga e prestigiosa storia nel campo delle attività economiche. È noto a tutti che in questa regione ci si sia stato uno dei più importanti centri produttivi nel periodo tra la fine del Medioevo e tutto il Rinascimento. In Toscana si formò un sistema del tutto unico in cui le capacità manifatturiere furono sostenute da operatori finanziari innovativi e disponibili al rischio d'impresa, tanto da diventare il riferimento per tutto il resto dell'Europa. Fu proprio qui che trovò la sua massima espressione la figura del «mercante-banchiere» che portò all'affermarsi di una nuova classe economica e sociale che contribuì alle grandi trasformazioni politiche dei secoli XIV e XV.

Il mercante-banchiere ha segnato il profilo economico di questa regione ad alta vocazione imprenditoriale e con una forte propensione ai commerci internazionali. Questi operatori si formarono al tempo dei liberi comuni e avviarono attività di intermediazione con altre città italiane e, successivamente, estere. I capitali accumulati con questi commerci servirono per avviare «compagnie» di natura finanziaria con filiali nelle principali città d'Europa. Oltre ai capitali propri, queste compagnie raccolsero capitali anche da terzi sotto forma di deposito e/o di contratti di partecipazione.

Queste compagnie furono lo strumento per l'avvio e lo sviluppo di una rilevante attività manifatturiera soprattutto nel settore tessile. Proprio in questo periodo e con queste logiche economiche si creò in questa regione e nel resto dell'Italia quella vocazione alla «trasformazione» manifatturiera del nostro paese che, con poche risorse naturali, è stato capace di acquisire un primario ruolo nei commerci internazionali comprando materie prime o semilavorati e rivendendo prodotti finiti con un elevato valore aggiunto. La tradizione finanziaria della Toscana ha come attuale simbolo il Monte dei Paschi di Siena, la più antica banca al mondo, essendo stata fondata nel 1472 e attualmente uno dei maggiori gruppi creditizi finanziari a livello nazionale ed europeo.

La rilevante posizione economica della Toscana è rimasta nel tempo. Fino agli anni '50 del XX secolo, la Toscana (in particolare, l'area fiorentina che allora comprendeva anche il territorio pratese) rappresentò il centro industriale più importante del nostro paese dopo il famoso «triangolo industriale» (l'area produttiva localizzata tra le città di Milano, Genova e Torino). Successivamente, il peso relativo di questa regione sull'economia nazionale è diminuito in quanto si sono sviluppate nuove aree produttive come il Veneto, l'Emilia Romagna, le Marche, il Lazio. Inoltre, nell'Italia Meridionale sono state localizzate molte attività industriali promosse dallo Stato e dalle Amministrazioni Pubbliche. Ancora oggi la provincia di Firenze è al settimo posto tra le province italiane come contribuzione al valore aggiunto nazionale e, aggregando ancora il territorio pratese, si passa al quinto posto.

In questi ultimi decenni la Toscana ha realizzato un proprio modello di sviluppo in considerazione anche della sua collocazione geografica. La Toscana è autonoma sia dal sistema delle attività economiche e finanziarie del Nord Italia sia da quello che si è venuto a formare nel Centro Sud come prodotto delle politiche di sostegno pubblico. A parziale conferma di questa situazione, in questa regione c'è una densità maggiore di attività che forniscono servizi alle imprese rispetto alla media nazionale. Questo dato indica che le caratteristiche logistiche e culturali della Toscana favoriscono un sistema di servizi alle imprese radicato nel territorio piuttosto che il ricorso alle strutture localizzate nei maggiori centri economici dell'Italia (Milano e Roma). Questa relativa autonomia economica della Toscana richiede anche un proprio sistema di infrastrutture: in questo senso, è indicativa la vicenda dell'Aeroporto di Firenze. Da quando, negli anni '90, si è deciso di potenziare questa struttura i risultati sono stati straordinari: il traffico passeggeri è cresciuto in modo esponenziale (fino ad arrivare nel 2000 ad oltre 1,5 milioni di unità e circa 30.800 aereomobili in arrivo e in partenza) e questo successo ha portato, dopo la privatizzazione delle attività di gestione, alla quotazione in borsa. Del pari è stata la crescita del porto di Livorno che nel periodo 1995-2000 è stata del 17% per quelle in carico e del 26% per quelle in scarico.

Un altro aspetto significativo del modello economico di questa regione è l'elevato grado di autonomia energetica per la presenza nella zona di Larderello delle centrali geotermiche. La prima entrò in funzione nel 1915 e da allora, utilizzando le innovazioni tecnologiche che hanno consentito un continuo miglioramento dei sistemi di perforazione e di trasformazione energetica, il numero delle centrali e le attività geotermiche sono costantemente aumentate.

L'economia toscana è caratterizzata dall'industria «leggera» (quella a bassa intensità di capitale e a maggiore incidenza del costo del lavoro) e da un'elevata dipendenza dalla domanda estera. In particolare, i paesi esteri con cui l'economia toscana ha maggiori rapporti commerciali sono gli Stati Uniti, la Germania, la Francia e la Gran Bretagna. Di conseguenza, i periodi di maggiore sviluppo dell'economia toscana sono stati quelli in cui la lira si è svalutata rispetto alle altre principali monete, favorendo le esportazioni. Tuttavia, dopo l'entrata della lira nell'Unione Monetaria Europea e la nascita dell'euro l'economia toscana ha avuto un

Stabilimento Fotografico dei Fratelli Alinari
Florence. Conceria Pedani: section for drying the skins, 1920
(Alinari Archives - Alinari archive, Florence)
● Firenze. Conceria Pedani: reparto asciugatura delle pelli, 1920
(Archivi Alinari – archivio Alinari, Firenze)

tasso di crescita produttiva ed una riduzione del livello di disoccupazione superiore alla media nazionale. Questo risultato potrebbe indicare una maggiore solidità delle imprese toscane che permetterebbe di considerare con maggiore ottimismo le prospettive di sviluppo di questa regione nel nuovo contesto europeo.

Nonostante la riorganizzazione delle attività industriali sul territorio italiano, la Toscana ha mantenuto una posizione di leadership in alcuni settori ed è stata capace di sviluppare nuove produzioni che sono diventate sempre più importanti per l'economia locale. Attualmente, la Toscana contribuisce per circa il 7% del prodotto nazionale del nostro paese. Nonostante il suo patrimonio naturale e culturale, unico al mondo, la Toscana ha un'economia centrata sulle attività manifatturiere che hanno un peso relativo maggiore sul valore aggiunto prodotto rispetto alla media nazionale. Viceversa, il peso dell'agricoltura è fortemente diminuito negli ultimi decenni. Nei comparti del commercio, degli alberghi e dei pubblici esercizi le differenze sono poco significative.

Nonostante il peso dell'agricoltura sia diminuito, in Toscana alcune produzioni di questo comparto hanno una posizione di leadership nazionale e internazionale. L'esempio più noto è il settore vitivinicolo (che ha nella zona del Chianti, tra Firenze e Siena, il suo primario centro produttivo), diventato uno dei simboli tipici di questa regione e uno dei cardini dell'economia locale sia in termini di fatturato che di occupazione. Peraltro, negli ultimi anni, nel settore vitivinicolo toscano sono stati fatti rilevanti investimenti da parte di primari gruppi esteri a dimostrazione della leadership di qualità e di immagine che il vino toscano ha acquisito nel mondo.

Un altro esempio della qualità dell'agricoltura toscana è la produzione dell'olio d'oliva che, oltre alla diffusa attività di tante piccole aziende, vede la presenza di alcuni dei più importanti marchi commerciali (Bertolli, Sagra, Carapelli). Infine, bisogna citare la produzione florovivaistica che ha nella provincia di Pistoia il suo principale centro economico (in quest'area viene realizzato un quarto dell'intera produzione nazionale).

Le caratteristiche territoriali e culturali di questa regione hanno favorito le attività turistiche che rappresentano un altro dei pilastri del sistema economico locale. Inoltre, le risorse generate dal turismo sono una base consistente e stabile della ricchezza locale che alimenta direttamente o indirettamente anche altre attività economiche. In particolare, la piccola impresa, l'artigianato e le produzioni agroalimentari «tipiche» del territorio sono tra i maggiori beneficiari della presenza turistica in questa regione. Va aggiunto che il turismo svolge un'importante funzione promozionale e pubblicitaria per tutti i prodotti toscani che hanno un mercato internazionale.

Per comprendere l'importanza del turismo per la Toscana basta indicare che le presenze turistiche negli esercizi ricettivi sono ormai vicine ai 40 milioni, di cui il 55% è di italiani e il 45% di stranieri con questi ultimi in costante e superiore crescita. Le presenze straniere in questa regione sono passate dai 9 milioni del 1993 agli oltre 17 milioni del 2000. La quota principale tra gli stranieri è quella tedesca (per oltre il 50%) anche se negli ultimi anni è cresciuta quella americana e quella britannica.

Il turismo ha una importanza minore per le città mentre è fondamentale per alcune zone della regione vocate a questa attività. Per le isole toscane il turismo incide per il 35% del reddito locale, per la Versilia e la Maremma siamo intorno al 25%

Stabilimento Fotografico dei Fratelli Alinari
Florence. Ferragamo shoe workshop in Palazzo Feroni, 1937
(Alinari Archives - Alinari archive, Florence)
• Firenze. Laboratorio delle calzature Ferragamo in Palazzo Feroni, 1937
(Archivi Alinari – archivio Alinari, Firenze)

e per le zone termali (Montecatini e Chianciano) al 20%. Viceversa, per Firenze e Siena l'incidenza è di circa l'8% e meno del 5% per città come Pisa, Lucca e Arezzo.

Per quanto riguarda l'industria, il modello di sviluppo che si è realizzato in Toscana prevede un'equilibrata distribuzione delle attività tra l'artigianato, la piccola e media impresa e le grandi aziende. Tuttavia, la vocazione imprenditoriale di questa regione ha trovato, nel tempo, maggiore espressione nelle imprese di minori dimensioni. Molte delle maggiori realtà aziendali della Toscana rispondono a gruppi industriali con proprietà esterne a questa regione. La Nuovo Pignone è parte del gruppo General Electric, la Piaggio è stata nel passato posseduta dalla famiglia Agnelli ed ora è controllata da un fondo d'investimento internazionale, la Galileo e la Breda fanno parte del gruppo Finmeccanica, la Gucci è una società quotata con sede in Olanda e la direzione generale è stata trasferita a Londra. La Magona fa parte del gruppo Usinor, la Fondiaria è stata recentemente acquisita dal gruppo assicurativo SAI. I casi più noti di grandi aziende che sono ancora controllate da imprenditori locali sono: Europa Metalli – SMI, Menarini, Ferragamo e Prada. Viceversa la Uno A Erre che fu rilevata pochi anni fa da una banca tedesca è recentemente tornata sotto il controllo di una delle famiglie fondatrici, la Zucchi di Arezzo.

Un'altra caratteristica del modello di sviluppo toscano è il rapporto tra le attività industriali e la conservazione dell'ambiente territoriale, culturale e sociale. Un esempio della capacità di questa regione di coniugare lo sviluppo con il rispetto dell'ambiente è il distretto conciario che ha nel comune di Santa Croce sull'Arno la località principale. La qualità e l'intensità delle produzioni di questo specifico distretto comporta elevati costi ambientali. Tuttavia, gli operatori di questo distretto hanno investito (anche con l'aiuto dei finanziamenti europei) capitali per decine di milioni di euro per la depurazione e lo smaltimento dei rifiuti industriali.

Per quanto riguarda le attività industriali, nel tempo, in Toscana si è realizzata una progressiva specializzazione per settori produttivi e per distretti. In altri termini, in questa regione in ogni area territoriale c'è una prevalenza di alcuni particolari settori industriali. Per questo motivo si ritiene caratterizzante rappresentare le attività di questa regione secondo questo schema di analisi.

Il primo comparto industriale che merita di essere descritto, per la sua complessiva importanza economica e per la sua notorietà internazionale (supportata anche da note attività espositive come Pitti) è quello che comprende i «settori della moda» ossia l'abbigliamento, la pelletteria, le calzature. In questa regione risiedono le attività di alcune delle più importanti aziende mondiali nel settore della moda come Gucci, Prada, Ferragamo. Inoltre, esistono altre medie aziende che hanno conquistato importanti posizioni di mercato come Cantarelli, Inghirami, Cavalli, Allegri, Sasch, il gruppo Fratini e molte altre che, pur non avendo grande notorietà contribuiscono al consistente giro d'affari della moda toscana. Inoltre, per le competenze distintive che qui si sono consolidate, in questa regione vengono realizzate le produzioni di molte altre importanti aziende la cui sede è in altre piazze italiane o all'estero.

In particolare, la Toscana ha un'assoluta leadership nel campo della pelletteria. Nel territorio che comprende i comuni di Scandicci, Lastra a Signa, Impruneta, e l'area di Firenze Sud fino alla Val di Sieve sono presenti centinaia di piccole e piccolissime aziende artigiane che lavorano soprattutto per conto terzi nel campo della pelletteria di lusso. Si calcola che nel settore della pelletteria toscana ci siano 1.500 imprese artigiane che occupano più di 6.000 addetti, che diventano 10.000 se si comprendono anche quelli dipendenti dalle imprese industriali che hanno laboratori propri. L'export del settore si aggira sui 500-600 milioni di euro e corrisponde a circa il 50% del fatturato totale. Accanto alle numerose aziende che lavorano solo per conto terzi ce ne sono altre che, accanto alle linee commissionate dai grandi marchi, conservano produzioni proprie ed altre che svolgono anche l'attività di progettazione dei prodotti per la committenza.

Per quanto riguarda la produzione di calzature, la Toscana ha perso posizioni negli ultimi vent'anni a vantaggio di altre regioni italiane, soprattutto le Marche, l'Emilia Romagna e il Veneto. Tuttavia, nella parte della Toscana che unisce le provincie di Pistoia, Pisa e Firenze rimane un importante distretto calzaturiero con circa 1.200 unità produttive, 8.000 addetti e un giro d'affari di circa 700 milioni di euro (circa il 60% destinato all'export). La gran parte della produzione locale viene fatta per conto terzi, anche se ci sono alcune importanti aziende con marchi propri come la Balducci e la Madigan.

La qualità delle imprese pellettiere e calzaturiere viene rafforzata dalla vicina presenza del distretto della concia localizzato nei comuni a cavallo delle provincie di Firenze e di Pisa che realizza il 98% della produzione nazionale di cuoio da suola e il 35% della produzione nazionale di pelli per calzature, pelletteria e abbigliamento. Il giro d'affari complessivo è di circa 1,8 milioni di euro (60% sul mercato interno e 40% all'estero). La prevalenza è delle piccole realtà imprenditoriali, ma i 10 più importanti gruppi aziendali pesano per circa il 50% della produzione totale e hanno un modello produttivo più integrato verticalmente per ridurre i costi e avere un maggiore controllo della qualità. La necessità di dover fronteggiare elevati investimenti per ridurre l'impatto ambientale delle proprie lavorazioni ha creato una forte coesione tra le imprese del distretto che ha favorito alcune importanti iniziative nel campo dell'innovazione tecnologica. In particolare, si può citare il progetto «Dresswear» nel quale sono coinvolti l'Università di Pisa, il Centro ricerche della Fiat e alcuni ingegneri della Ferrari. L'idea è di sviluppare un tipo di pelle in grado di riconoscere i corpi con cui viene a contatto. L'utilizzo più immediato riguarda i rivestimenti per i sedili delle automobili per aumentarne il comfort e la sicurezza. Inoltre può trovare utilizzo nei settori delle calzature e dell'abbigliamento, con probabili applicazioni di tipo sportivo e medico curativo.

Stabilimento Fotografico dei Fratelli Alinari

Florence. Conceria Pedani, 1920
(Alinari Archives -
Alinari archive, Florence)
● Firenze.
Conceria Pedani, 1920
(Archivi Alinari –
archivio Alinari, Firenze)

Sulla direttrice Firenze-Pisa, nel comune di Pontedera, c'è il distretto metalmeccanico che ha nella Piaggio la principale sua realtà imprenditoriale. Nonostante alcune recenti difficoltà produttive e la concorrenza di nuove e dinamiche imprese nazionali ed estere, la Piaggio rimane la più grande azienda italiana nella produzione di motoveicoli ed il suo marchio «Vespa» è uno dei simboli della ricostruzione successiva alla seconda guerra mondiale e, più recentemente, di un nuovo modello di mobilità cittadina basato sulle due ruote. Intorno alla Piaggio c'è un sistema di medie e piccole aziende produttrici delle parti componenti dei motoveicoli che, in alcuni casi, hanno progressivamente assunto una maggiore autonomia commerciale e forniscono anche altri importanti marchi del settore. In Toscana è presente anche un'altra azienda di motoveicoli, la Beta Motors che, nonostante le sue più ridotte dimensioni, è molto famosa nel settore per la qualità dei suoi prodotti in alcuni specifici segmenti del mercato (trial, enduro e motocross).

Tra Pontedera e Pisa, si è formato un'importante sistema di attività nel settore dell'informatica che ha nella società CDC (titolare dei marchi Computer Discount e Compy) l'esempio più rilevante dal punto di vista economico. La CDC controlla la più grande catena italiana di negozi (in proprietà ed in franchising) per la vendita di computer e prodotti accessori e fattura oltre 500 milioni di euro. Peraltro, la Toscana si è distinta anche nelle nuove attività legate al sistema Internet. A Firenze, risiedono due delle più importanti società italiane di questo settore, entrambe quotate in borsa: la CHL e la Dada.

Un altro importante settore collegato al comparto della moda anche se gli sbocchi commerciali non sono limitati all'abbigliamento è quello tessile che ha nella provincia di Prato la sua maggiore espressione. Nel distretto operano 9.000 imprese tessili che fatturano in un anno oltre 4 miliardi di euro (l'export pesa per circa il 70%) e circa 50.000 addetti (il 30% della popolazione attiva ed il 60% degli occupati nell'industria del territorio). Le aziende di Prato sono specializzate nella produzione di filati per maglieria, tessuti tradizionali ed innovativi per l'industria dell'abbigliamento, delle calzature, dell'arredamento e per impieghi tecnici, e coprono tutte le lavorazioni del settore, dalla finitura al finissaggio dei tessuti. La grande espansione del distretto avvenne tra i primi anni '60 e la metà degli anni '80, grazie all'elevata flessibilità produttiva e organizzativa e alla forte domanda estera. In quel periodo, il distretto di Prato è stato additato da molti osservatori e studiosi come un modello da imitare su scala nazionale: un sistema produttivo caratterizzato da piccole unità flessibili, con pochissime lavorazioni a ciclo completo,

Stabilimento Fotografico dei Fratelli Alinari
Florentine women braiding straw, ca. 1910
(Alinari Archives - Alinari archive, Florence)
● Trecciaiole fiorentine, 1910 ca.
(Archivi Alinari – archivio Alinari, Firenze)

piccoli reparti divisi, meglio se staccati fra loro in una miria-
de di società autonome. A metà degli anni '80, il distretto tessile di Prato entrò in una fase di crisi strutturale, a seguito del
calo di domanda di prodotti cardati (allora principale specializzazione dell'industria tessile locale, mentre oggi rappresenta il 45% del distretto) e delle trasformazioni tecnologiche e di
mercato che permisero alle grandi imprese tessili di recupera-
re margini di competitività. Questa crisi fu affrontata dalle imprese pratesi con l'ampliamento e la diversificazione della gamma produttiva (accanto al cardato vengono introdotte nuove
tipologie di tessuti quali il lino, il cotone, il misto seta/lino, il
velluto, la viscosa, il cupro, l'acetato, il poliestere, i tessuti non
tessuti, etc.) che ha prodotto i suoi frutti negli anni '90, periodo in cui il distretto pratese ha avuto una nuova fase di competitività e di espansione sui mercati internazionali. Un fenomeno rilevante del sistema pratese è la massiccia presenza di
immigrati: in particolare, i cinesi di cui si contano 4.000 lavoratori regolari e una comunità di circa 15.000 persone. Que-
sto fenomeno ha anche portato a qualche chiusura di attività italiane e a una modificazione so-
stanziale della struttura sociale della città anche se, in generale, l'immigrazione non ha prodotto
problemi di integrazione.

E. Quiresi
Production of terracotta
wares in Impruneta, ca. 1960
*(Touring Club Italiano - Management
Alinari Archives, Florence)*
● Fabbricazione di terrecotte
all'Impruneta, 1960 ca.
*(Touring Club Italiano –
Gestione Archivi Alinari, Firenze)*

Un altro settore che ha forti tradizioni in Toscana ma che, negli ultimi anni, ha
avuto rilevanti problemi e trasformazioni è quello del mobile a causa, soprattutto, della ridotta dimensione imprenditoriale che, invece, è stato un punto di forza nel passato per i suoi ele-
menti di flessibilità e di creatività. La ridotta dimensione ha penalizzato le capacità commerciali e ha ridotto l'attrazione di nuove professionalità. Questa situazione ha maggiormente colpito il distretto di Cascina e Ponsacco (provincia di Pisa) e meno quello di Quarrata (provincia di Pistoia). Nel primo caso, la risposta che gli operatori e le istituzioni locali stanno perseguendo è
quella di affermare una maggiore identità e specializzazione produttiva che possa definire uno stile ed un'immagine distintivi, facendo leva sul «made in Tuscany», soprattutto a vantaggio dei mercati internazionali. Nel secondo caso, invece, la risposta è stata quella dell'innovazione di prodotto ad alto contenuto di design sul modello delle esperienze di successo del «triangolo del divano» (tra la Puglia e la Basilicata) e che ha avuto nel gruppo Natuzzi il fenomeno imprenditoriale più noto.

Nella provincia di Arezzo troviamo il distretto orafo in cui si calcola che ci siano più di 1.400 imprese industriali ed

**Stabilimento Fotografico
dei Fratelli Alinari**
Montecatini Terme.
Tettuccio Spa, 1928
*(Alinari Archives -
Alinari archive, Florence)*
• Montecatini Terme.
Terme del Tettuccio, 1928
*(Archivi Alinari –
archivio Alinari, Firenze)*

artigiane, 1.700 marchi, un fatturato vicino ai 3 miliardi di euro (l'export pesa per oltre il 70%) e 10.000 addetti. L'impresa largamente più grande di questo distretto (e del settore orafo italiano) è la Uno A Erre che assorbe anche buona parte della produzione degli artigiani e delle piccole imprese locali. Anche questo distretto è in una fase di trasformazione per rispondere alla maggiore concorrenza. In effetti, la posizione di mercato prevalente delle imprese orafe aretine è nel cosiddetto «catename», sempre più soggetto alla forte concorrenza nazionale (proveniente da Marcianise-Torre del Greco e dall'area di Rimini) ed internazionale (produttori asiatici). Di conseguenza, le imprese più innovative del distretto stanno puntando su produzioni a più alto valore aggiunto anche nei segmenti a più basso prezzo come la bigiotteria e l'argenteria.

La provincia di Arezzo, comunque, ha negli anni sviluppato una significativa diversificazione produttiva oltre alle tradizionali produzioni orafe e dell'abbigliamento. Nel settore metalmeccanico, in quello dei metal detector per la sicurezza, nella verniciatura industriale, del mobile, nella produzione di cavi, di pannolini e tissues, e di prefabbricati industriali sono emerse alcune aziende di medie dimensioni molto dinamiche, innovative e proiettate sui mercati internazionali.

Un'altra area della Toscana che, nel tempo, ha saputo diversificare le proprie tipologie produttive è quella dell'Empolese. Quest'area rappresenta il terzo polo industriale della Toscana dopo Firenze e Prato. Il settore produttivo principale è quello dell'abbigliamento che in questo distretto ha sviluppato una leadership assoluta in due categorie di prodotti: l'impermeabile e, soprattutto, gli indumenti in pelle che rappresentano i due terzi della complessiva produzione nazionale. D'altra parte, in questo territorio ci sono consolidate tradizioni nella produzione del vetro, della ceramica e della nautica che, negli ultimi decenni, sono state affiancate da significative realtà nei settori della chimica, della meccanica, della cartotecnica, della gomma, delle materie plastiche e alimentari. La Colorobbia (colorazioni per la ceramica) e la Sammontana (gelati confezionati) sono imprese leader nei loro settori e un colosso della distribuzione commerciale come la Coop è nato ad Empoli ed ha prodotto importanti ricadute economiche sul territorio, favorendo lo sviluppo di attività correlate. Anche qui, come a Prato, si è formata una consistente comunità cinese che ha acquisito fette importanti delle produzioni tradizionali, facendo leva su un basso costo del lavoro ed una maggiore flessibilità lavorativa. A conferma dell'importanza della presenza cinese, in quest'area si vende persino un giornale in ideogrammi orientali lo «Zhong Yi Bao».

Con riferimento alla ceramica, la più rinomata realtà produttiva è quella che si è realizzata nel comune di Sesto Fiorentino intorno alla storia della «Manifattura Ginori» fondata nel 1737. Importante chiave di comprensione delle attività ceramiche di questa parte della Toscana fu l'istituzione nel 1873 della «Scuola di disegno industriale», creata dalla Ginori per disporre di manodopera specializzata e che ha contribuito alla formazione di un diffuso tessuto di aziende artigiane. Negli anni '50 del XX secolo, le attività di quella che era già diventata la Richard-Ginori aveva generato un consistente numero di imprese che, in parte, avevano produzioni distinte. La crisi degli ultimi anni della Richard-Ginori ha avuto un impatto negativo su questo distretto che sta provando a reagire sviluppando proprie attività di mercato o collegandosi ad altre importanti entità aziendali a livello internazionale. Tuttavia negli anni Novanta la Richard-Ginori è stata rilevata dal gruppo veneto Pagnossin che l'ha rilanciata e l'ha riportata alla quotazione in borsa.

Nella provincia di Massa Carrara, invece, è localizzato il distretto lapideo specializzato nell'estrazione e nella lavorazione del marmo delle Alpi Apuane. Questo distretto occupa circa 9.000 addetti in oltre 1.000 imprese, per un fatturato intorno ai 1,2 miliardi di euro (il 50% circa sull'estero). Sono attive circa 200 cave che estraggono circa 1,4 milioni di tonnellate di blocchi all'anno. Il materiale locale più conosciuto è il «Bianco di Carrara». I mercati prevalenti sono l'Estremo Oriente, l'Unione Europea, il Medio Oriente e gli Stati Uniti. A questi dati bisogna aggiungere quelli relativi ai settori strumentali al lapideo (la produzione di macchine per escavazione, taglio, lucidatura, finitura e, inoltre la fornitura di servizi specializzati) che occupano circa 2.000 addetti per oltre 200 imprese. Negli ultimi anni, il distretto lapideo sta affrontando la maggiore concorrenza nazionale (nell'area di Verona) e internazionale (la Spagna, il Brasile, il Giappone e in genere tutti i Paesi dell'Estremo Oriente) aumentando l'integrazione a valle nella lavorazione del marmo, sia direttamente sia con collaborazioni. L'importanza di questa attività ha favorito la nascita e lo sviluppo a Carrara della «Fiera Internazionale dei Marmi, delle Macchine e dei Servizi», la più importante del settore, con i suoi 60.000 visitatori ed oltre 800 espositori provenienti da tutto il mondo. Inoltre, intorno all'industria lapidea si è sviluppata un'attività turistica che porta ogni anno oltre 70.000 visitatori nelle cave e nelle strutture museali dedicate a questa particolare produzione.

Sulla direttrice Firenze-Siena si sono andati affermando due rilevanti fenomeni produttivi: la cristalleria e l'autocaravan. La cristalleria ha in Colle Val d'Elsa la sua capitale, dove si realizza il 95% della produzione nazionale (oltre 100 milioni di euro di giro d'affari e 1.500 addetti). Quasi la metà della produzione locale è venduta all'estero, soprattutto negli Stati Uniti e in Europa. L'azienda leader di questo distretto (due terzi dell'intero fatturato) è la Calp (Cristalleria Artistica La Piana), quotata alla Borsa di Milano, che controlla il 60% del mercato italiano e oltre il 10% di quello mondiale nel cristallo da tavola e da regalo. Per quanto riguarda la produzione di camper, nella zona tra la Val di Pesa e la Val d'Elsa (San Gimignano, Poggibonsi e Barberino Valdelsa) viene realizzato l'80% della produzione italiana. Questo particolare settore produttivo toscano ha un giro d'affari di oltre 200 milioni di euro (40% sui mercati esteri) e 700 addetti e le principali aziende sono: Caravans International, Mobilvetta e Laika.

Un altro importante fenomeno distrettuale della Toscana è quello cartario di Lucca, composto da 130 imprese, con circa 9.500 dipendenti e 1,8 miliardi di euro di giro d'affari, di cui oltre il 30% sono realizzati sui mercati esteri. In questa zona si produce circa l'80% della carta per usi domestici e il 30% del cartone ondulato in Italia. Le principali imprese del distretto sono: Kartogroup, specializzata nella produzione di carta per uso igienico e domestico; Cartiera Lucchese; Cartoinvest; AssiDoman. Peraltro, in questa provincia, si è formata una rilevante attività meccanica strumentale alla produzione della carta. In questo ambito, la più nota azienda è la Fabio Perini che dagli anni '60 ha sviluppato numerosi ed innovativi brevetti ed è stata recentemente acquistata dalla Korber Paperlink, divisione del gruppo tedesco Korber Aktiengesellschaft.

Sulla costa tirrenica, tra Viareggio, Marina di Pisa e Livorno c'è uno dei più importanti distretti nazionali della cantieristica. Tra Viareggio e Marina di Pisa c'è il polo delle barche da diporto basato su una fitta rete di artigiani e piccoli imprenditori specializzati nelle diverse fasi della lavorazione: quasi tutti i cantieri della zona hanno pochi dipendenti e molti addetti indiretti strettamente connessi al ciclo produttivo. Le principali aziende di questo distretto sono: Azimut-Benetti, Perini-Picchiotti, Tecnomarine. A Livorno, invece, risiedono gli storici Cantieri Orlando, fondati nel 1866 e, nel secondo dopoguerra, passati sotto il controllo delle partecipazioni statali. Dopo una grave crisi, a metà degli anni '90 fu decisa la vendita di questa impresa ma nessun operatore del settore dimostrò reale interesse. Quando ormai si era ad un passo dalla liquidazione, i dipendenti dell'azienda insieme ai sindacati, grazie ai contributi statali e ai sostegni della Commissione Europea, fondarono cinque cooperative che in via consortile ne hanno rilevato e rilanciato le attività che, attualmente, occupano 100 dipendenti diretti e 800 che operano nell'indotto.

Infine, a conclusione di questa rappresentazione delle attività economiche della Toscana, va ricordato che in questa regione c'è un importante polo farmaceutico ed è presente la più grande azienda italiana del settore: il gruppo Menarini che, nel tempo, ha assorbito anche altre aziende farmaceutiche toscane. Inoltre, in questa regione sono presenti il Gruppo Marcucci (il principale produttore italiano di emoderivati), l'Istituto Gentili (specializzato nelle cure cardiovascolari e acquistato da poco dal

Stabilimento Fotografico dei Fratelli Alinari
Montecatini Terme. Interior of a spa building, ca. 1920
*(Alinari Archives -
Alinari archive, Florence)*
• Montecatini Terme.
Interno di uno stabilimento termale, 1920 ca.
*(Archivi Alinari –
archivio Alinari, Firenze)*

gruppo Merck, Sharp & Dohme) e sono localizzate le attività di alcuni importanti gruppi farmaceutici internazionali: tra gli altri, Eli Lilly, Boeringher Ingelheim, Immuno. Infine, nella zona di Sansepolcro (provincia di Arezzo), si è affermata un'azienda leader nazionale nella farmaceutica alternativa: la Aboca, che ha valorizzato il patrimonio naturale del territorio (le piante officinali) con una formula imprenditoriale che progressivamente ha diversificato la gamma di prodotti e la presenza nei canali distributivi.

Studio Villani
Chianciano Terme.
Atrium of the spa, ca. 1960
(Alinari Archivess –
Villani archive, Florence)
• Chianciano Terme. Atrio
dello stabilimento, 1960 ca.
(Archivi Alinari –
archivio Villani, Firenze)

**Stabilimento Fotografico
dei Fratelli Alinari**

Florence. Tobacco
manufactory, 1901
*(Alinari Archives -
Alinari archive, Florence)*
● Firenze. Manifattura
Tabacchi, 1901
*(Archivi Alinari –
archivio Alinari, Firenze)*

**Stabilimento Fotografico
dei Fratelli Alinari**
Florence. Tobacco
manufactory, 1901
*(Alinari Archives -
Alinari archive, Florence)*
• Firenze. Manifattura
Tabacchi, 1901
*(Archivi Alinari –
archivio Alinari, Firenze)*

facing page / pagina seguente
**Stabilimento Fotografico
dei Fratelli Alinari**
Doccia. Ginori ceramic factory:
polishing the plates, 1902
*(Alinari Archives -
Alinari archive, Florence)*
• Doccia. Produzione delle
ceramiche Ginori: lucidatura
dei piatti, 1902
*(Archivi Alinari –
archivio Alinari, Firenze)*

**Stabilimento Fotografico
dei Fratelli Alinari**
Doccia. Ginori ceramic factory:
interior of a department, 1902
*(Alinari Archives -
Alinari archive, Florence)*
● Doccia. Produzione delle
ceramiche Ginori: interno
di un reparto, 1902
*(Archivi Alinari –
archivio Alinari, Firenze)*

**Stabilimento Fotografico
dei Fratelli Alinari**
Glassworks in Figline Valdarno.
Furnace for blowing flasks
and demijohns, 1928
*(Alinari Archives –
Alinari archive, Florence)*
• Vetrerie di Figline Valdarno.
Forno con la soffiatura dei
fiaschi e delle damigiane, 1928
*(Archivi Alinari -
archivio Alinari, Firenze)*

**Stabilimento Fotografico
dei Fratelli Alinari**
Tuscan paper mill:
interior of the production
department, ca. 1930
*(Alinari Archives –
Alinari archive, Florence)*
• Cartiera toscana: interno
reparti produzione, 1930 ca.
*(Archivi Alinari –
archivio Alinari, Firenze)*

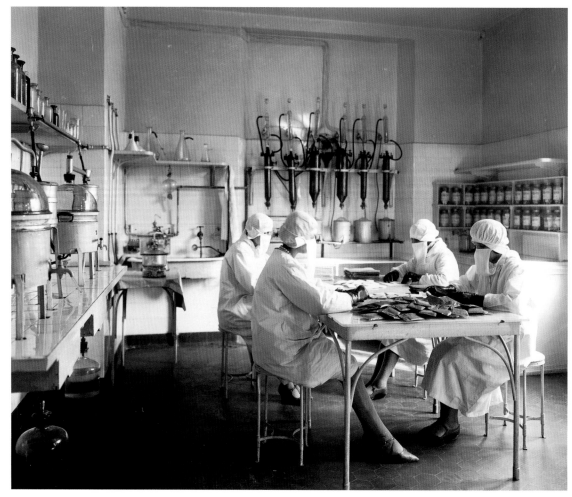

**Stabilimento Fotografico
dei Fratelli Alinari**
Florence. Molteni
pharmaceutical company, 1929
*(Alinari Archives -
Alinari archive, Florence)*
• Firenze. Stabilimento
farmaceutico Molteni, 1929
*(Archivi Alinari –
archivio Alinari, Firenze)*

**Stabilimento Fotografico
dei Fraelli Alinari**

Florence. Officine Galileo:
department producing
ammunitions, 1915 – 1918
(Alinari Archives –
Alinari archive, Florence)
• Fotografo non identificato
Firenze. Officine Galileo:
reparto fabbricazione proiettili,
1915 – 1918
(Archivi Alinari –
archivio Alinari, Firenze)

**Stabilimento Fotografico
dei Fraelli Alinari**

Florence. Officine Galileo:
department for the mechanical
production of rangefinders,
1915 – 1918
(Alinari Archives –
Alinari archive, Florence)
• Firenze. Officine Galileo:
reparto di lavorazioni
meccaniche di telemetri,
1915 – 1918
(Archivi Alinari –
archivio Alinari, Firenze)

**Stabilimento Fotografico
dei Fratelli Alinari**

Florence. Automobili Florentia:
hall for assembling
the automobiles, 1908
*(Alinari Archives -
Alinari archive, Florence)*
● Firenze. Automobili
Florentia: padiglione destinato
all'assemblaggio
delle vetture, 1908
*(Archivi Alinari –
archivio Alinari, Firenze)*

**Stabilimento Fotografico
Betti Borra**

Livorno. In a shipyard, ca. 1945
*(Fratelli Alinari Museum of the History
of Photography – Betti Borra archive,
Florence)*
• Livorno. Interno di un
cantiere navale, 1945 ca.
*(Museo di Storia della Fotografia
Fratelli Alinari – archivio
Betti Borra, Firenze)*

Studio Villani
Pontedera (Pisa).
Workers on the Piaggio
assembly line, ca. 1959
(Alinari Archives –
Villani archive, Florence)
• Pontedera (Pisa). Operai
alla catena di montaggio
Piaggio, 1959 ca.
(Archivi Alinari –
archivio Villani, Firenze)

V. Balocchi
An outing on a Vespa, 1958
(Alinari Archives –
Balocchi archive, Florence)
• Una gita in Vespa, 1958
(Archivi Alinari –
archivio Balocchi, Firenze)

facing page / pagina precedente
Carrara. The marble
quarries of Colonnata, 1990
(Alinari Archives – G. Tatge, Florence)
Carrara. Le cave
di marmo di Colonnata, 1990
(Archivi Alinari – G. Tatge, Firenze)

The spa at Casciana , 2002
(Alinari Archives – G. Tatge, Florence
Le terme di Casciana, 2002
(Archivi Alinari – G. Tatge, Firenze)

The waterfall at the spa
at Saturnia, 2002
(APET Archive, Florence)
● Le terme di Saturnia, 2002
(Archivio APET, Firenze)

The thermal station
at Bagno Vignoni, 2002
(APET Archive, Florence)
• Le terme
di Bagno Vingoni, 2002
(Archivio APET, Firenze)

Sansepolcro (Arezzo).
Aboca: organic cultivation
of medicinal plants, 1998
(Aboca S.p.A., Sansepolcro, Arezzo)
• Sansepolcro (Arezzo). Aboca:
coltivazioni biologiche
officinali, 1998
(Aboca S.p.A., Sansepolcro, Arezzo)

Sansepolcro (Arezzo).
Aboca: screening camomile
flowers, 1998
(Aboca S.p.A., Sansepolcro, Arezzo)
• Sansepolcro (Arezzo). Aboca:
selezione della camomilla, 1998
(Aboca S.p.A., Sansepolcro, Arezzo)

Montelupo Fiorentino (Florence).
In a pottery factory. 1992
(Alinari Archives -
P. Pagano, Florence)
• Montelupo Fiorentino
(Firenze). Interno di una
fabbrica di ceramica. 1992
(Archivi Alinari - P. Pagano, Firenze)

Pistoia. A nursery, 2002
(Alinari Archives – G. Tatge, Florence)
• Pistoia. Un vivaio, 2002
(Archivi Alinari – G. Tatge, Firenze)

Florence. Piazza SS. Annunziata
with the flower market, 1988
(Alinari Archives – G. Tatge, Florence)
● Firenze. Piazza SS. Annunziata
con il mercato dei fiori, 1988
(Archivi Alinari – G. Tatge, Firenze)

S. Croce sull'Arno (Pisa).
Italcuoio: hides drying, 1993
(Alinari Archives – P. Pagano, Florence)
• S. Croce sull'Arno (Pisa).
Italcuoio: essiccatoio, 1993
(Archivi Alinari – P. Pagano, Firenze)

San Casciano Val di Pesa.
Shoe factory, 1987
(Alinari Archives – G. Tatge, Florence)
• San Casciano Val di Pesa.
Calzaturificio, 1987
(Archivi Alinari – G. Tatge, Firenze)

Viareggio (Lucca). "Luminex":
technological fabric in luminous
fibers able to emit light, 2002
(CAEN S.p.A., Viareggio)
● Viareggio (Lucca).
"Luminex": tessuto tecnologico
in fibra luminosa in grado
di emettere luce propria, 2002
(CAEN S.p.A., Viareggio)